学びの呼吸

岡田昭人

技術評論社

学びの呼吸

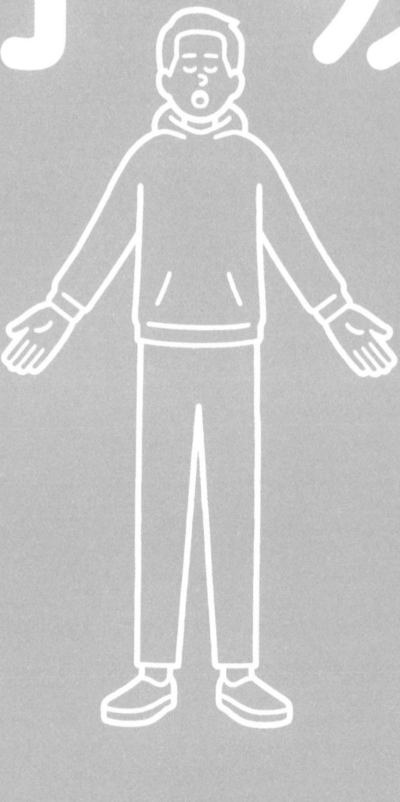

岡田昭人
Okada Akito

技術評論社

はじめに

「学びの呼吸」が日本人を変える

「授業が難しくてわかりません」
「論文がうまく書けません」
「なにを学びたいのか、わかりません」

私は20年以上にわたって大学で教えていますが、毎年のように学生からこうした相談を受けます。学生たちは就活やクラブ活動、アルバイト、友達や恋人との関係でも悩むことが多いですが、「学問」をすることになると、頭が混乱して思考停止してしまうのでしょう。

つまらない、つらい、しんどい、面倒くさい、やりたくない……

「学ぶ」と聞くと、すぐ学校の「勉強」をイメージしてしまう方も多いのではないでしょうか。日本の子どもたちは、物心ついたころから受験勉強に追われ、「いつもいい成績をとらなければならない」「希望する学校に絶対合格しなければ」など、強いプレッシャーのなかに置かれています。こうした記憶が大人になっても強く印象に残っているため、勉強が嫌いになっているのです。また、従来の日本では、ただ知識を「詰め込み」、試験で1つの答えを出す人材の育成が中心でした。だから、日本人はどんなに素晴らしく楽しいことでも、「学ぶ」という言葉が出てくると、とたんに拒絶反応を起こしてしまいます。ですが、これは本来の「学び」のあり方を知らない状態なのです。「学ぶ」ことが、人生のあらゆる営みの基礎になっている、にもかかわらず……。

学び方を変えれば、学びは楽しくなる ～比較教育学との出会い

ここでかんたんに自己紹介させてください。私は日本の大学を卒業した後、米国のニューヨーク大学に留学し、異文化間教育やコミュニケーション学を専攻しました。その後は英国の名門、オックスフォード大学教育学大学院に留学し、日本人で初の教育学博士取得者になりました。現在は、東京外国語大学で20年以上にわたって、日本人学生と30か国以上の国々からやってくる留学生を教えています。また、2015年にはユニバーシティー・カレッジ・ロンドンの客員教授として、世界の最新の教育政策について研究する機会を持ちました。

私が学ぶことが「楽しい」と感じたのは、長期にわたる海外留学の経験の中で、さまざまなバックグラウンドをもった世界のエリート学生や研究者たちといっしょに学ぶ経験をしたころからです。そして、オックスフォード大学で比較教育学と出会ったことが、「どうしたら学びが楽しくなるのだろうか？」と考えはじめるきっかけになりました。

比較教育学は、自国と他国の教育に関するさまざまな現象や問題を比較しながら分析し、共通点や相違点を発見する学問です。世界で共通する教育の営みがわかる一方で、国によって特殊性が見られる場合は、なぜそうなるのか、理由を明らかにします。

私にとって、オックスフォード大学の比較教育学の授業は学び方がとても斬新で、すべてが驚きの連続でした。たとえば、ある学生が「わたしの国ではいじめの問題は制度改革で対処しています」など、どんどん自分の意見を述べます。その内容や話し方がわかりやすく、まわりの人たちは最後まで真剣に聞き入っています。聞き手を飽きさせない伝え方に長けているのでしょう。

また、オックスフォード大学では教授が一方的に話す授業は少なく、学生同士のディスカッションが基本で、みんなが自分で積極的に知識を取り込んでいきます。1人の学生が自分の意見を言うと、どこからともなくそ

れに反論する声が上がり、またそれに別の意見が重なる。比較教育学が、教科書だけではなく、実際の学びの雰囲気の中で心身に染みわたる感覚でした。

ある日の休み時間に、クラスメートたちに「どうしてそんなに楽しそうに勉強ができるのか」と質問してみました。すると、「自身の考えをみんなに話せるから」「教科書ではなく生きた知識を得られるのがうれしいから」そして「自分の学び方に自信があるから」といった答えが返ってきたことを今でも鮮明に覚えています。

じつは、私自身も日本にいたときはそのような「学び」の楽しさを知らずにいました。日本の受け身型の教育が苦手で、けっして勉強がよくできる優等生タイプではありません（今もです）。学校の成績は平均レベルで、好きだったスポーツやバンド活動以外は勉強嫌いの「ちょい悪生徒」でした。

ですので、私は日本の勉強、すなわち「学び」が退屈でつまらないと感じる人の気持ちがわかります。学生は高校までの暗記型の学習に慣れているので、大学に入ると「どこがわからないのか？」「どこでつまずいているのか？」がよくわかります。かつての自分のように同じ学びのポイントで悩んでいる人たちに「それはこのように学んだらいいですよ」とアドバイスをして、「なるほど、このような学び方があるんだ！」と思ってもらえたとき、比較教育学を専門としていてよかったとうれしく思います。

同時に、こう考えました。

「日本の教育とは違った学習の仕方、世界で認められている学び方を、みんなが身につければいいのになあ。そうすれば、楽しんで、積極的に学べる！」

学びは「呼吸」

世界大学トップランキング校の学生や、優秀なビジネスパーソンには、何らかの「学び方」や「日常の習慣」「心構え」のようなものがあるのではないか。改めて整理してみると、グローバル人材を目指す人がまず身につけるべき学び方やスキルは、じつはとても身近なところにあることがわかりました。それは、大きく分けて4つのポイントに整理できます。

①五感をフルに発揮して「自己鍛錬」を心がける
②学びにおける「毎日の成長」を強く意識する
③人との「絆」を大切にする
④グローバルな感覚を身につける努力をする

これらは、日本でも優れた人物が昔から大切にしてきた学び方ではないかと思います。

そして、その共通点の1つ1つは、能力や経験に関係なく、ちょっとした工夫と習慣次第でマネできるものばかりでした。そのエッセンスをひと言でいえば、「学びの呼吸」をマスターするということです。

私たち人間は、「呼吸」をしなければ生きていくことができません。普段、意識することはほとんどありませんが、呼吸は「吸う息」と「吐く息」が常にワンセットです。「学び」も呼吸と同じようなものです。すなわち、知識を空気に例えるなら、知識を獲得すること（インプット）、そして、得た知識を外に出すこと（アウトプット）が、いつもワンセットでなければならないのです。

本書では、前述の4つのポイントを次の9つのエッセンスに分類して、具体的にどのような学び方で身につけるのかをまとめています。

- 観察する
- 傾聴する
- 思考する
- 模倣する
- 記述する

- 意見する
- 質問する
- 批判する
- パフォーマンスする

「学びの呼吸」で積極的に学習するようになる

私の比較教育学ゼミでは、常に「学びの呼吸」を意識した取り組みを心がけています。そうすることで、単に教科書の知識を講義形式で教えるよりも、学生たちが積極的に学習に取り組むようになりました。

たとえば、記憶しておかなければならない大切なポイントについては、「この知識をレポートではなく、ロールプレーで表現してみてください」と指示します。本書のなかでくわしく説明しますが、ロールプレーとはあるシチュエーションを想定して役割を演じる、つまり芝居形式で発表し、学びを深めていく方法です。教室にいる全員、知識が頭の中だけではなく、全身に染み込むように伝わり、記憶されていきます。

クリティカルシンキングの授業では、学生をAとBのペアにして相互に批判させるタスクをとり入れています。対面形式で、Aさんには「教育についての自分の定義を述べてください」と指示し、次にBさんには「Aさんの意見になんでもいいので批判してください」と伝え、15分間やりとりしてもらいます。最初は戸惑い、照れくさそうにしている学生たちも、回数を重ねるたびに自然とコツをつかんで、楽しんで批判し合うようになります。その光景は、まるで生き物の「呼吸」のように、自然に繰り返すことで生命エネルギーを保っているかのようです。このタスクの背景には、欧米の大学では相互批判することによって2人の意見がスタート地点よりもさらに高いレベルに「止揚」(「合わさって昇る」というような意味)するという考えがあります。

また、クリティカルシンキングの心得として、ただ批判するだけではなく、「相手の眼をしっかり見る」「ジェスチャーを入れる」など非言語的な要素や、相手が答えに困ったときには「自分なりの対案もあわせて伝える」といった討論の規則、「ゲーム感覚で楽しむ」など心の持ち方についても教えます。これは、オックスフォード大学の伝統的な「チュートリアル」(討論型学習)をとり入れた教育法です。

学生たちは、私が比較教育学について説明するのをただ黙って聞いているのではなく、「学びの呼吸」を通じてどんな問題でも集中して考え、全身をもって理解を進めます。それまでちゃんと理解できていなかった複雑な知識もすっきり頭の中で整理され、かつ自分の考えに変えて、まわりに伝えるようになっていくのです。

しかも、授業が終わってしばらくした後で学生が研究室にやってきて、「まださっきのゼミの余韻が残っています」と興奮気味に言ってくれたりします。卒業生の中には、「先生の授業で学んだことを、今仕事で実践しています」と言ってくれる人もいます。教職に就いている者として、最もうれしいことです。

おかげさまで、現在私のゼミは大学院、学部、そして研究生を含めると最大100名の学生が所属する、東外大で最も大きな、人気のある学びの場になりました。私のゼミでは在学中に留学することを強く推奨していますが、それは世界の「学びの呼吸」を体験し、そして試してきてほしいからです。ゼミに入ってきたときは静かな学生も、卒業するころには見違えるように成長します。卒業生は、Googleなど国内外の大手企業をはじめ、官庁や国際機関、教師、海外の大学院に進学する方が多いです。大学の同僚たちからは「岡田さんのゼミには元気のある学生が多いですね!」と言われるのですが、その由縁でしょう。

学び方が人生を変える

こうした授業での実践を繰り返しながら、改めて確信しました。

今まで知らなかった「学びの呼吸」を知るから楽しい。
楽しいから、学ぶことへのモチベーションが上がる。

本書で取り上げるさまざまな「学びの呼吸」のエッセンスは、勉強だけでなく仕事や趣味などにも波及効果をもたらし、人生を豊かにします。何かを学ぶ時の「呼吸」を身につけると、幸福感を感じるのです。「こんなにも人の学びの姿勢が変わるのか……」と、じつは私自身がびっくりするぐらいです。

1人でも多くの読者のみなさんに世界で通用する学び方を身につけてもらい、人生に楽しみを感じてほしい――そう考えてこの本を書くことにしました。本書は、私が留学時代から現在に至るまで30年かけて練り上げてきた「学び方」のスキルの集大成で、どれも私が常に意識して学生に伝えている内容です。自分でまとめた内容ですが、自身で常に参考にする「学び方」の教科書です。

本書で扱う「学びの呼吸」は、「勉強法」や「暗記法のテクニック」など受験対策ではありません。もっと深く、もっと汎用的で重要な学び方の極意を、比較教育学の観点から解説し、世界に通用する人材に必要な基本的な学びの姿勢を身につけていただくものです。

学びに優秀さは必要ありません。地頭の良し悪しも、運動神経や芸術的センスも関係ありません。それぞれが五感を活かした学び方の「型」を身につければいいのです。

そして、日常生活のなかで繰り返し練習することで、習慣になっていきます。そのとき、あなたの人生は大きく変わることを確信しています。

CONTENTS

3章　思考する

4章　模倣する

5章　記述する

6章　意見する

7章　質問する

8章　批判する

9章　パフォーマンスする

序章

世界に通用する学びとは

今、新しい学びが必要とされる理由

VUCAの時代

21世紀は、新しい知識・情報・技術が政治・経済・文化をはじめ社会のあらゆる活動の基盤として飛躍的に重要性を増す、知識基盤社会(knowledge-based society)の時代であるといわれています。多種多様な情報から得られる膨大な知識を取捨選択して整理し、意思決定に役立てることは、現代社会に貢献するための必須条件といえます。

また、情報基盤社会の成立によって、全世界がVUCAの状況に突入したとされます。VUCAとは、英語のVolatility(変動)、Uncertainty(不確実)、Complexity(複雑)、Ambiguity(あいまい)の頭文字を合わせた造語で、世界中が政治・経済・医療などのあらゆる社会環境においてきわめて予測困難な状況に直面していることを表しています。

VUCAはもともとアメリカで軍事問題に関係して生まれた概念ですが、最近ではビジネスや教育分野でも用いられるようになりました。これには、近年急速に進んだグローバル化が関係しています。グローバル化によって人・モノ・情報の移動が活発になることで、前例のない問題が発生し、1つの国では対応できない事態に陥っています。環境問題などはその一例でしょう。また、少子高齢化の進行、人工知能(AI)の開発によって、既存の職業がロボットによって置き換えられています。21世紀中には、おおよそ2万の職が消滅し、多くの人々が職を失うことが予測されています。AIの出現によって、どの国でも経済的なイノベーション(技術革新)の創出が迫られており、そのための新しい人材育成が教育関係者には喫緊の課題となっています。

キーコンピテンシーが求められる

残念ながら、こうした知識基盤社会やVUCAの時代を生き抜くためには、これまで学校で教えられた知識やスキルだけでは不十分であるとされます。そこで、次世代に必要とされる諸能力として国際機関のOECDが提唱したのが「キーコンピテンシー」です。「コンピテンシー」とは、単なる知識や能力だけではなく、思考や行動といったさまざまな心理的・社会的なスキルを活用して、複雑で予測困難な課題の発見とその解決を図る力を意味します。

キーコンペテンシーの中心にあるのは、自分で学び、深く考え、行動することの大切さです。学ぶことには、目の前の状況に対して暗記した知識や公式を反復、継続的に当てはめることができる力だけではなく、次のような能力が含まれています。

- 変化に対応する力
- 多文化・多言語社会でコミュニケーションを通じて協働する力
- 批判的な立場で考え、自律的に行動する力

OECD加盟国を中心として、15歳を対象に3年ごとに実施される国際的な学習到達度テスト（PISA）では、このキーコンピテンシーの測定が目的とされ、フィンランドがすべての科目で好成績を上げていることが注目されています。

タキソノミーと学びの呼吸

学びの「型」とは

私はこれまでの学際的な経験を改めて整理してみて、VUCAの時代をたくましく生きる世界のトップクラスには明らかな共通点があると気づかされました。言うまでもないことですが、そのような人々であっても、勉強や仕事で優れた成果をあげるためには、長い期間努力し、数多くの失敗を耐え抜き、苦悩し、気分が落ち込んだりするといった浮き沈みを経験しています。しかし、一見真似できないように見えることが、じつは特定の学習の方法を身につけ、段階を踏んでいけば多くの人にも可能であるとわかってくるのです。

そうした彼らの学習の仕方を、私が専門とする比較教育学の理論や分析法と重ね合わせていて気づいたのは、学びには基本的な「型」があるということです。

新しい能力の要素と学習法を細かく整理・分類したものに「タキソノミー」があります。タキソノミーは、アメリカの教育心理学者であるベンジャミン・ブルームが提唱した、教育の目標の分類を意味するものです。タキソノミーは、人が学習する際の段階とそれに対応する手段、またそれらをどのように評価するのかといった指標を、大きく「あたま、こころ、からだ」の3領域に分けて説明しています。ここでタキソノミーについてくわしく説明することはしませんが、知識の定着は次の6つの段階順で発展的に進められ、各段階にはそれぞれ代表的な学習の仕方があるとされます。

記憶（知る、暗記する）
⇒理解（わかる）
⇒応用（知識を実際の状況に当てはめて使用する）
⇒分析（物事を細かく区別して探究する）
⇒評価（分析した部分を組み合わせて統合する）
⇒創造（新たな物を生み出す）

大切なのは、人が何かを学ぼうとするとき、どのようなプロセスで思考を深めていくのか、そのために必要な思考法を持っているのかです。タキソノミーは、学び手がどれぐらい知的に成長したのかを評価の基準にしており、さらにその評価を次の学習段階につなげることを念頭に置いています。教える・評価する側の視点も含んだ理論であるため、学びの完成に至るまでの「取り扱い説明書」のようなものといえるでしょう。

本書が取り上げる「学びの呼吸」は、このタキソノミーをベースに、中でも特に世界のエリートに共通する学習方法のエッセンスを抽出・解説し、具体的に実践する方法を身につけていただくことを目的としています。

五感をフルに活かす「学びの呼吸」

タキソノミーによれば、わたしたちが何かを学ぼうとする場合、目（視覚）や耳（聴覚）、体の感覚（触覚、味覚、嗅覚）といった五感を活用しています。例として、勉強や仕事で成功した経験を思い出してみてください。その時、どのような方法で知識や情報を得ましたか？

- 写真やビデオ、状況などビジュアルなものをよく「観察」した
- 他者の説明やアドバイス、リスニング教材など
  音による情報を「聴いた」
- 理想とする人やモノの言動を「模倣」し、
  全身で表現しながら体得した

このように、人によって得意とする知識の取り入れ方は多様です。人間の記憶には限界があるので、新たに得た知識は何らかの形で「記述」しておく必要もあります。

知識の定着を高めるための近道は、アウトプットすることです。世界のトップクラスの人々は、学びの場で「質問」したり、自分の「意見」を述べたり、「批判的な視点を提供する」ことを進んでおこなっています。じつは、こうした学習のアウトプットが中脳の領域を活性化させ、さらなる知識の探究につながるという研究データがあります。学びの呼吸は、こうした学習のインプットとアウトプットを結びつけて「思考力」を多様化させることで、「パフォーマンス」を最適化するものと考えています。

これまで説明してきたタキソノミーを基本に、学びのエッセンスを人の五感と関連させながら抽出・分類すると、以下の9つになります。

【吸】インプット　→　観察、傾聴、思考、模倣
【呼】アウトプット　→　記述、意見、質問、批判、パフォーマンス

「学びの呼吸」9つの型

「学びの呼吸」の9つの型について、さらにくわしく見ていきましょう。

観察する

人間は五感すべてから情報を得ていますが、中でも視覚器官からは全体の約85％以上もの情報を得ているとされます。本やインターネット、パワーポイントなどで伝達される情報も、そのほとんどが視覚から入ってきます。

ですが、日常生活の中で何かを「見る」ことと、学問の「観察」には大きな違いがあります。観察の基本は、物事を自然の状態のまま客観的に見ることですが、これはあたりまえのようでなかなか難しい行為です。なぜなら、人は物事を認識するときに自身が生まれ育った文化や環境、過去の経験などが無意識に働いてしまい、本来の状態を誤って認識してしまうためです。また、「公園で子どもたちが遊んでいる」といった一見平凡な状況を見るとしても、「今どきの遊び方」「遊び時間」「子どもたちを見ている親たちの行動」など、なにかを意識しながら観察できるかどうかで、得られる情報が大きく変わってきます。

本書では、物事を正確に認識する科学的な観察法や、社会に隠された問題を発見する文化人類学などの要素を入れたものの見方を身につけるための学習法を紹介します。

傾聴する

「人には口が1つなのに、耳は2つあるのはなぜか。それは、自分が話す倍だけ他人の話を聞かなければならないからだ」

これは西洋のことわざですが、「聞く」ということは、相手の話や情報の伝達を正しくキャッチして理解するという、コミュニケーションを図るうえで非常に重要なスキルです。学びのうえでは、さらに相手と信頼関係を築き、真摯な姿勢で相手の話を聴くことが必要です。それができるかによって、相手の意見や本音を聞き出し、さらに深いレベルでの情報交換が可能になるかが決まってきます。また、聞き方の姿勢を通じて自分自身を知り、感情のコントロールが可能になり、精神的成長を促すきっかけをつくることが可能になります。

本書では、相手の話をよく聞くためのトレーニング方法や、相手と信頼関係を築くための技法を解説します。

思考する

VUCAの時代を生き抜くためには、自身をとりまく状況を正確に把握し、取るべき手段や行動を考えなくてはなりません。そのようなときに役に立つのが思考力です。論理的に思考できるようになると、人と情報共有をする際にも内容の飛躍や漏れがなく、相手に物事をわかりやすく説明することができ、課題解決能力や、説得力のあるアウトプットをおこなえるスキルが身につきます

本書では、ロジカルシンキングのための準備段階から、問題発見の考え方、連想力が豊かになる方法などを解説します。

模倣する

「学ぶ」の語源は「まねぶ（まねる）」であるとされています。比較教育学では、理想とする人物や物事の「模倣」を通じて学習することは、人が知識や技能を獲得するうえで本質的な技法であるとしています。最近のAIの急速な発展も、この「模倣」の要素を多分に取り入れ、人や組織の技能伝承のプロセスをインプットさせることが基盤になっているとされます。

模倣の本質を端的に表現しているのが、20世紀を代表する芸術家のパブロ・ピカソでしょう。かつてピカソは、その独創的な芸術がどのように着想されているのかという問いに対して「真似る」と答えています。つまり、ピカソのような世界的な芸術家であっても、まったく新しい物を一から創造するわけではなく、これまでの芸術作品のエッセンスをうまく融合させることで斬新な美を生み出しているのです。よって、創造性とはすでにあるものから学びとった知識、技法を結びつける行為であると考えられます。

本書では、理想的なモデルを積極的に繰り返し真似ることによって基本的な「型」を身につけるスキルや、その「型」にアレンジを加えて自分のオリジナリティを作り出していく方法を解説します。

記述する

学校の授業、仕事のミーティングなどで、ノートやメモをとることはよくあります。ただ、見聞きしたものを書き出すだけでは単純作業にすぎません。また、書いただけで満足した気分になって見返さなかったり、書いた文章や図をなんとなく見返すだけに終わっていては、「学習」とはいえません。板書されていないことも含めて授業の重要ポイントがもれなく記録されており、時間が経過してから見返しても要点がわかることが大切で、それにはいろいろな工夫が必要です。

記述することは「思考整理戦略」ともいえるでしょう。SNSや電子メモなどの急速な発展により、自分の字でメモする機会が減っていますが、自分の手を動かすことで電子機器とは違った形で脳に信号が送られますし、自分の字であれば世界に1つしかないので視覚も刺激されます。

本書では、ノートを単なるメモから知識を活用するための武器に変えるノートテイキングのスキル、頭に浮かんだアイデアをイメージ図で表して発想を広げていくマインドマップ、欧米圏の教育で頻繁に課題として求められるエッセイの書き方、自分の思考を見える化する「4行日記」などの練習法を紹介します。

意見する

学びや仕事では、相手に自分の考えを伝える機会がよくあります。しかし、集団主義の傾向が強い日本社会では、授業や会議などで「恥ずかしい」「嫌われたくない」という思いから自分の意見が言えなかったり、意見があったとしてもだれかと同じものになってしまうことが多いのではないでしょうか。日本人同士だから「以心伝心」でいいと思うかもしれませんが、そこには「わかってもらえて当然」という思い込みの罠が潜んでいます。グローバルな社会では、そうした日本的な態度はほとんどの場合、歓迎されません。何も言わずに黙っているだけでは、「意見がない」「なにか別のことを考えている」などと思われ、距離を置かれてしまいます。

では、どのようにすれば、自分の考えを意見にして相手にきちんと伝えられるのでしょうか。じつは、意見には一定の種類やパターンがあって、状況に応じて合ったものを選択して発言することで、さらに相手の考えを引き出し、議論を活性化させることができます。これは、「アサーティブコミュニケーション」と呼ばれるスキルです。

本書では、自身の考えや判断を意思表示して周囲に伝え、かつ学びにおけるよりよい関係を築くための方法を紹介します。

質問する

質問は、学問の基本です。学問の「問」は、「なにかについて疑問を持つ」または「問いかける」ということです。欧米の大学生や留学生たちは、授業中よく質問をしてきます。彼らの国々では、教員が話している最中でも質問することが許されるぐらいです。仕事でも勉強でも、優秀な人ほど不明確なことや疑問点についてさらに情報を得たい場合はどんどん質問します。一方、日本人はこちらが指名しないと意見も質問もすることが少ないと思います。普段から積極的に質問するスキルを身につけておくことで、問題点や疑問点が解消でき、物事が効率よくなり、ミスなく学習や仕事を進めることができます。

「質問するだけならかんたん！」と思うかもしれませんが、世界のトップクラスの人々は上手な質問の仕方を知っています。じつは、質問は自分の関心を他者から聞き出すだけではなく、相手の考えをさらに引き出し、ひいては自身の学びの理解度を深めることにつながる大切なコミュニケーションスキルでもあるのです。

本書では、質問をするときに意識しておきたい心構えから、効果的な質問の仕方まで、実践的な方法を解説します。

批判する

「和」や礼儀を重んじる日本文化では、「公の場で相手を批判することは、人や事柄を問わず慎むべき」という風潮があります。たとえ他者と違った考え方を持っていたとしても、相手の気持ちを損なわぬよう、つい同調してしまうのです。「空気を読む」「忖度」という言葉をよく耳にしますが、直接的な表現を避けながら相手にさりげなく伝えるのが日本での慣わしでしょう。

一方、欧米諸国のコミュニケーションのあり方は非常に対照的です。批判は「物事を多面的に見る」「相互の共通理解を高める」ことを意味し、賞賛に値する行為なのです。特に相手に対して論拠を明確にして反対の意見を提示したり、論理的なミスを指摘したり、モレを補ったりする建設的な批判をすることは、高い評価につながります。

変化が激しく、不安定な状態が続いている現代社会では、「今まではこの考え方で対処できたのだから、これからもこの方法で大丈夫だ」といった思考は通用しません。古いやり方や考え方に固守せず、これまでとは違った視点や、新しいアイデアを取り入れなければなりません。

本書では、批判を「相手の考えにあるミスを指摘し、修正することでそこから新たに議論が発展するような契機となる相互的な援助行為」と捉え、クリティカルシンキングや、他人の提案に対し批判的な返答をするスキルを紹介します。

パフォーマンスする

パフォーマンスは、「演奏」「上演」「演技」などを意味します。学びにおいては、自分が学んだ知識やスキル、技能などを身体表現によって伝えるアウトプットの総称といえるでしょう。

日本ではまだ普及していないのですが、欧米諸国ではパフォーマンス力を育成するために、ドラマ（演劇）の授業が義務教育の比較的早い段階から実施されています。演技を通じて、表情や声、動きなどの感情表現を豊かにしたり、他者と協働する力などを学ぶのです。

本書では、ドラマの要素を取り入れた学び方や、プレゼンテーションやディスカッションのための表現力、集中力、コミュニケーション力を身につける練習を紹介します。

自分の学び方を再確認して、新たな「学びの型」を生み出そう

まずは優位感覚を活かそう

勉強や仕事で「学びの呼吸」のすべてのエッセンスを結びつけ、効果を発揮するには時間が必要です。「学びの呼吸」の9つのエッセンスを強化して学びを最大限に発揮するために大切なのは、優位感覚を生かすことです。優位感覚は心理学の言葉で、わかりやすく言うと「どのような方法だと物事を記憶・理解・表現しやすいか」ということです。

まずは自分が得意とする学びの「型」を実践することからはじめてみてください。観察でも、読書でも、意見でも、模倣でもかまいません。まずは過去の経験をもとに、自分のどの五感に優位性があるのか、そして学びの呼吸のインプットとアウトプットのどのエッセンスを得意とするのかを確認してみてください。あなたがこれまで取り入れてきた学習法を抜本的に変える必要はありません。普段の勉強スタイルに「学びの呼吸」を意識してプラスするだけで、さらに効果が見込まれるでしょう。

自分の優位感覚を活かすことで、学習に対する関心が高まり、知識の獲得が速やかに進み、さらに「人に伝える」ことを意識したアウトプットへつながります。最初はうまくいかなくても、頭を動かし、外に向かって伝え続けることが大事です。

そのうえで、自分に身についていないと思うエッセンスをとり入れ、新しい学習法を見つけてください。たとえば、自己主張が強くて相手の話を聞くのが苦手に感じるなら「傾聴」のスキルを磨き、さらに相手の考えを引き出すために「質問」力を高めるというふうに、今まで自分の弱点と考えていたエッセンスを取り入れ、学びに厚みをもたせるのです。

学びの呼吸をうまく組み合わせ、自分独自の学びの「型」を作っていってください。本書で紹介したエッセンス以外のものがあれば、それも含めてみてください。

自らの学び方を再確認して、新たな気づきや創造を生み出そう

本書では、学問的な根拠にもとづいて、なるべく多くのエピソードを交えながら具体的な学び方を紹介するように心がけました。難度の高い学び方や思考法を伝えるというよりは、むしろ読者のみなさんがすでに知っているポイントや、時に実践している学び方を再確認するきっかけを作ることを目的としました。

五感を最大限に活用しながらインプットとアウトプットを繰り返すことで、学習に対する新たな気づきや楽しみを生み出す源泉にたどりつくことができるでしょう。そうして身につけた学びの「型」は、留学やビジネスなど、世界中いつでも、どこでも、何度でも、質の高い学習効果とパフォーマンスを発揮するのに役立つと思います。

本書が紹介するタスクは、友達や同僚、家族といっしょにおこなうこともできます。さまざまな学びをともに経験することで、どのように感じたのかを話しあい、お互いの感想を分かちあうのです。

自分でインプット&アウトプットした知識を一番身近に感じるのはあなた自身です。アウトプットした知識は、さらに新たなインプットの糧となるのです。常に学びの呼吸を再確認することで、得られた知識やスキルが脳の中にあるほかの情報と結びつけられ、新たな気づきや創造が生まれるでしょう。

それでは、「学びの呼吸」の実践法を見ていきましょう。

COLUMN

オックスフォード大学で体感した「学びの呼吸」の原点

私が比較教育学を勉強し始めたのは、イギリスのオックスフォード大学に留学した時でした。長い歴史と伝統を誇るオックスフォード大学は、医学や物理などの自然科学分野、哲学、法律、経済学などの人文・社会科学分野などあらゆる学問からなる総合大学で、世界中のトップエリートが集まっています。卒業生にはイギリス歴代の首相、ノーベル賞受賞者など、多数の著名人を輩出し、勉強だけではなくオリンピック級のアスリートも学んでいる文武両道の学び舎です。最近の世界大学ランキングでは、アメリカのハーバード大学などほかの超有名エリート校を抑え、数年間連続で1位の座にあります。

オックスフォード大学の教育で有名なのは、なんといっても「チュートリアル」でしょう。チュートリアルとは、教授と学生が1対1（または数名）で週に1回、対話を通じて1つの課題について知識を深める教育方法です。教授と学生が互いに問答をくり返しながら真理への到達を目指す、知的な協働作業といえるでしょう。チュートリアルでは、まず教授から課題が提示され、膨大な量の文献リストが与えられます。学生はたくさんの文献や資料を読み込んでエッセイ（レポート）を書き、当日に挑みます。そして、授業ではまず課題に対する学生の理解や考え、疑問などが伝えられ、それについて教授がコメントします。

チュートリアルのやりとりの中で教授がよく口にする言葉があります。So What?（だから何なのですか）です。チュートリアルに慣れてない段階でこの言葉がかけられると、学生はドキッとして「自分の意見や考えに何か問題があるのか」と不安になります。同じような言葉にSo Why?（なぜそうなのですか）があり、この2つの言葉で学生は知的に厳しくしごかれます。私にとっては、まさに「脳に汗をかく」経験でした。じつは、教授はSo Whatを頻繁に投げかけることで、学生の考えや問題意識の中に潜む弱点や誤り、論理の飛躍などに自ら気づくように援助しているのです。

オックスフォード大学のチュートリアルは古代ギリシャの対話法が

起源とされていて、お互いが批判的な意見を述べあうことでさらなる思考の高みへの到達を目指すことが暗黙の了解となっています。教える側と学ぶ側の双方にとってたいへんストレスがかかりますが、このような情熱的な働きかけをしながら知識を獲得していく学び方は非常に効果的なものです。

世界中の優れた研究者や学生たちとの知的交流を持つことで、私は「自分に適した学び方」を発見することの大切さを知りました。教授や学生たちと問答を繰り返していると、自然と「息が合ってくる」という感覚が生まれます。どのような「質問」がきても即座に「意見」や「批判」で応えることができるような、自分なりの学びのスタイルがわかってくるのです。そして教授もそれを期待していたかのようにさらに厳しい質問や批判を投げかけてきたり、またそれに応戦する……。学生が知識を吸収して放出し、教授やクラスメートとやりとりする光景は、まるで吸う息と吐く息が整い、人間の生命を維持する営みのようでした。まさに「呼吸」です。

1章
観察する

比較して事象を精緻に捉える

イギリスの科学者、アイザック・ニュートン（1642年～ 1727年）は、近代自然科学（物理・数学）の父といわれています。毎日庭の木からリンゴが落ちる状況を観察し、落下速度を比較することで「万有引力」を発見したというエピソードは有名ですね。また、20世紀の物理学革命を引き起こしたアルベルト・アインシュタインは、日頃から自宅近くの時計塔の脇をバスが通りすぎるのをぼんやり眺めていたところ、「もしバスが光速で走り抜けたら何が起こるだろうか」と疑問を持ち、光の速さを比較することで新しい現象に気づきました。そして、最終的に宇宙の起源を考える基礎になる「相対性理論」を発見しました。

ニュートンとアインシュタインは、私たちが普段あまり意識することがない自然の事象を目的意識をもって調べることで、独創的な発見を生み出しました。科学史をふりかえってみると、何回も繰り返し観察し、比較してデータを検証するうちに、予期せぬ実験結果や思いがけない大発見が生まれたりすることがあります。また、思い込みから離れて物事を考えるために、いろいろなものを比べることが必要不可欠です。そうしないと「～は～である」という事実の確定すらできません。

比較の四段階

私が専門とする比較教育学では、何カ国かの教育制度を比較することで、自国と他国の教育の特色や問題点を明確にし、世界に共通した教育の法則性や特異性を探究します。ですが、何でもかんでも見比べればいいわけではなく、前提や方法論があります。たとえば、「国」という単位で比較する場合、アメリカのような大国とアフリカの新興小国の教育制度を比べるのは、ちょっと無理があります。先進国と途上国では、社会発展の状況が根本的に違うため、教育制度だけを取り出して比較することにあまり意義が見いだされないでしょう。比較する場合は、対象物にある程度の共通性が必要となってきます。

アメリカの比較教育学者ベレディは、著書『教育における比較法』の中で、比較のプロセスを明確化した四段階を提唱しています。①記述、②解釈、③並置、④比較（問題分析と全体分析）の流れで比較するというものです。

▶ 1 記述

複数の国々で見られる事象、たとえば教育方法、コミュニケーションの取り方、集団行動のあり方などについてよく観察し、気づいたことをノートに記述します。この段階では、特定の観察の対象についての問題意識や分析視点が浮かび上がってきます。

もし母国とほかの国を比較する時は、「優劣」などの価値観や偏見を持たないで客観的に観察するよう心がけましょう。

▶ 2 解釈

記述して気づいた対象の言動・状況などをさらに深く観察しながら、その理由や原因について、学問的理論やアプローチにもとづいて解釈を加えます。たとえば教育学では「隠れたカリキュラム論」「再生産理論」などがあり、よりどころとなる学問アプローチによって視点が変わってきます。

▶ 3 並置

解釈した事象を項目ごとに並べて、比較可能な項目について類似点と相違点を分類します。

ここで大切になってくるのは、比較対象になんらかの相違点が見られた場合、「なぜそのような違いが生じているのか」について、自分なりの仮説を立てて説明することです。なぜなら、比較観察で得られる相違点には、事象の中にある多様性や新奇性など、新しい要因や発見が含まれている場合があるためです。

▶ 4 比較（問題分析と全体分析）

並置しながら内容を比較し、一定の法則を導き出します。比較する対象に共通する部分が観察されれば、そこから一定の法則を導ける可能性が出てきます。また、相違する部分が出てきたら、その点に集中してもう一度、①記述の段階に戻ってさらに深く観察し、比較分析をくり返すようにします。

世界の教育制度を比較の四段階で分析してみよう

「グローバル社会に生きる日本人の育成」が強調されている今日ですが、現代の日本と米国の学校教育を比較して、相違点を分析してみましょう。ここでは、授業の様子と学習の仕方を例にしてみます。

▶ 1 記述

日本とアメリカの教育に関する文献資料を読み込み、それが描写されている映像、映画のシーンをよく観察して、状況を客観的に記述します。授業風景、教え方、学習方法、課外活動などについて記述し、そこから問題意識を生み出します。

【例】

日本では、先生が教壇に立って教え、生徒は座ってそれを黙って聞いている。

米国では、生徒は教師を取り囲むように円形に座りながら学習している。

▶ 2 解釈

教室での教師の立場、教え方、生徒同士の関係などをじっくり観察して、解釈を与えていきます。

【例】

日本では、教師が主導的に教育し、生徒はそれを静かに座りながら学びとることで、教師に対する従順さ、知識を正確に記述するスキル、忍耐力などを身につけることが期待されている。

アメリカでは、生徒は積極的に発言し、相互にディスカッションをしながら学習することで、社会における民主主義的な議論への参加の仕方を学んでいる。教師はあくまでもファシリテイター（進行役）であって、生徒たちの自立性をサポートしている。

▶ 3 並置

日本と米国の授業風景や学習法に関する事項を並べて比較分析の観点を提示し、そこから仮説を導きます。

［日本と米国の学校教育の比較］

	日本	米国
教師の役割	指導的	補助的
生徒の姿勢	受動的	能動的
教授法	一方向型	相互型(参加型)
教育目的	集団的精神の涵養	個人の尊重
教育理念	規律・規則の重視	民主主義精神の形成

【例】

日本の学校制度は、受け身型の学習を通じて集団性や規律順守の姿勢を学び、将来社会に出たときに協調性を守り、忍耐強く仕事に取り組む人材の育成が目標とされているのではないだろうか？

米国では、生徒は義務教育の段階から積極的に意見を述べることが求められ、個人の尊重や民主主義的な社会に参加し、支える人材の育成に重点が置かれているのではないだろうか？

▶ 4 比較（問題分析と全体分析）

集団主義社会では、日本のような受け身型の授業が一般的である（儒教の影響が強い韓国や中国などのほかのアジア諸国にも共通する）ことが見えてきます。また、個人主義的な社会では、民主主義を支える議論や討論の仕方が重視され、授業への積極的な参加が求められるといえます。

COLUMN

さまざまな比較

比較にはさまざまな方法があります。

- 同時比較 => 対象とする事象を同じ時間・領域の中で観察する
- 前後比較 => 対象物を時間の経過（過去・現在・未来）の中で観察する
- 順序比較 => 複数の事象を発生順・優劣・規模などの順序に従って比較する
- 因果比較 => 対象物の因果関係を明らかにする

以下は、それぞれの視点でアサガオを観察する場合の例です。

［さまざまな比較］

観察方法	具体例
同時比較	アサガオのおしべとめしべを比べながら観察する
前後比較	花の蕾を観察し、その翌日に開花したものと見比べる
順序比較	蕾が膨らんでいない花と膨らんでいるものとの変化の順序を見る
因果比較	変化の順序が天候や温度などの条件と関係しているのか考える

文化人類学をヒントに モニタニング力を磨く

「日本人はなぜ電車の中で寝るのですか」
「なぜ女子生徒は真冬でも短いスカートをはくのですか」

留学生からよく受ける質問です。日本ではどこでも見られる光景ですが、留学生から見るととても不思議に映っているのです。私たち日本人が常識だと思っていることは、たまたま今の社会がそうなっているだけにすぎなかったりします。一方で私たちが海外に行くと、同じような経験をすることもあります。「人前で平気でキスをする」「食事中におかまいなくゲップをする」など、「えっ！」と思ってしまいます。

自分たちの文化とは異なる他者に出会ったとき、「文化の違い」で片づけてしまったり、距離を置こうとするのではなく、むしろその中に飛び込んでいって、何が、なぜ違っているのかなどをよく観察し、その原因を探る必要があります。そうした試みを実践する、文化人類学という学問があります。文化人類学者は、日常の社会の中で見えない、または見過ごしている“変な”ことやモノにあえて着目し、それを「なんで?!」「えっ、おもしろい！」といった好奇心と柔軟な思考で読み解く観察力に長けています。私は文化人類学のこうした観察力を、バラエティ番組にちなんで「モニタリング力」と呼んでいます。これは生まれ持っての能力ではなく、鍛えるためのコツがきちんとあります。

フィールドワークの基本

文化人類学の分析方法の1つが、フィールドワークです。フィールドワークとは、フィールド（研究対象の場所）を実際に訪れ、現地の人々と行動をともにしながら状況を観察したり、話を聞くなどして情報を集め、そこから特殊な習慣や規範、人々の行動の背後にある本質を探り出すものです。

インターネットがこれほど発展した今日であっても、実際に現地に行かなければ知るよしもない出来事は数えきれないほどあります。たとえば、現地の人々の声、文字化されていない習慣行動、現地でしか見られない情景、現場であってもすぐに変化してしまう事柄などは、フィールドワークをとおしてでしか観察できません。

フィールドワークのプロセスの基本は、次の4つになります。

①「なにかへんだな？」「おもしろい！」と感じたことについて、「なぜそうなっているのかを明らかにしたい」という目的意識を持つ
②観察のポイントを2、3に絞り、それらについて下調べしてメモを作る
③絞り込んだポイントについて、流行性、国際性、ジェンダー性など、さまざまな視点を検討しながら観察して分類する
④収集した情報を整理し、文章や図などに落とし込みながらまとめる

メモは、用紙に余白を作りながら書くといいでしょう。後で付け加えることができるし、わかりやすいからです。また、メモしたことは「線で結ぶ」「丸で囲む」などしてわかりやすく図式化したり、順序をつけておいたりすると、まとめる時に便利です。以下のように記号を使って重要度を明記するのも効果的です。

○　⇒　大切なこと
△　⇒　参考、資料
×　⇒　賛成できないこと
？　⇒　疑問に思うこと

大切な心構えは、主観的な見方と客観的な見方をうまく組み合わせながらも、必ず「自らの視点≠世界の視点」という考え方をもっておくことです。

電車でフィールドワークをしてみよう

フィールドワークは、遠い異国の地に行かなくてもできます。たとえば、電車に乗るときに、スマホを見る時間を少し削って、フィールドワークをする習慣が身につくと、通学・通勤の楽しみ方もがらりと変わります。

電車内には、人の行動（すごし方、所持品、乗り降りのタイミングなど）、社内アナウンス、空間距離など、おもしろい研究テーマがたくさん溢れています。メモとペンをもって電車に乗り、以下の手順でフィールドワークを実践してみてください。

▶ 1 目的を明確にする

「何を見に行くか」「何を調べに行くか」などをはっきりさせて取り組みましょう。

ここでは、例として電車広告を観察することを目的にしてみます。

▶ 2 分析するポイントを絞り、思いつくことをメモに書き出す

【例】

- 種類・内容
- 登場人物（年齢・性別）
- デザイン・配色・位置（中吊り、窓上、ドア窓など）
- 文字の種類（ひらがな、カタカナ、漢字、英語）

すべてを記録しようとすると大切な部分を見落とすことになるので、注意しましょう。時間内に記録できない場合は、広告の写真を撮る、スケッチするなどしてください。

▶ 3 検討・分析ポイントを分類し、表にする

ここでは、広告の位置（中吊り、ドア横、窓上、つり革、動画媒体など）から、次のような視点を考え出したとします。

- 最近の流行や価値観
- 世の中の変化
- 人間のクセ
- 社会問題
- ジェンダー性
- 世代間のギャップ
- 国際性

以下が整理した例です。

［電車広告の分析表］

	中吊り	ドア横	窓上	つり革	動画
種類	○雑誌 ファッション	書籍 旅行	△冠婚葬祭 化粧品	ローン ×人生相談	電車マナー イベント
登場人物・モノ	芸能人 食品	本 景色	タレント 動物	会社名 連絡先	多種 多様
配色	カラフル	カラフル?	モノトーン	単色	動画用色彩
デザイン	ビジュアル	シンプル	ビジュアル	シンプル	ビジュアル
視点	流行、世の中の変化など	流行など	ジェンダー性など	社会問題など	社会問題、流行など

▶ 4 フィールドワークしてきたことをまとめ、分析する

記憶に残っているうちに、メモしてきたことを整理して文章にまとめましょう。共通点が見つかれば、そこから一定の法則が導き出してみましょう。違いがあるなら、その理由を考えてみましょう。

【例】

- 中吊り広告：最も目につきやすい　→　注目の話題や流行への喚起
- ドア横：電車の出入りの際に目につく　→　旅行をイメージさせる
- 窓上：明るい位置　→　化粧品が映える

広告の位置関係と人々の関心事項との関連性のほか、それを見ている人々の様子、動物やゆるキャラはどのような広告の種類に使用されていて人の心理や行動とどのように結びついているのかなど、さまざまな視点を挙げてみましょう。

できれば、フィールドワークによって調べたことをパワーポイントなどにまとめ、発表してみてください。そこからまた新しい視点を獲得できます。新たな疑問・謎を解くために、図書館やインターネットでさらに資料を集め、分析してみるのもいいでしょう。場合によっては、新製品開発のヒントが思いつくこともあるはずです。もっと知りたいと思うなら、友達や同僚の意見を聞いたり、思い切って広告会社に質問してみてください。

こうした練習をくり返すことで、ただの電車内が発見の連続になり、探求心が芽生え、日常の「あたりまえ」を一歩引いたところから眺める冷静な観察力が養われるでしょう。ただ、あまり夢中になると、急停車で倒れたり、乗客から不審に思われたりすることもあるので、十分に注意したうえで取り組んでください。

COLUMN

文化人類学の代表的な研究

文化人類学の草分け的な研究者であるクロード・レヴィ＝ストロースは、未開社会の構造を解き明かし、主著『悲しき熱帯』『野生の思考』は世界的にベストセラーなっています。レヴィ＝ストロースは、当時のヨーロッパ的な見方であった「自由な個人が集まって社会をつくり、それが歴史を築いてきた」という世界観を批判し、たとえ未開発な社会であってもその奥底には見えない構造（習慣など）があり、個人の考えはその構造によって決定されているという視点を提示しました。

日本の社会構造を分析した中根千枝の著書『タテ社会の人間関係』（講談社）は、今なお読み継がれる不朽の名作です。日本は上司―部下や先輩―後輩など上下の序列、つまり「タテ」の人間関係が重視される社会とされます。また、学校や会社など「場」による集団性が伝統的に根強く、親分と子分のような「情緒的な結びつき」による一体感を大切にします。その反面、リーダーがいなければグループ全体の力が弱まってしまうという特徴が明らかにされています。日本の「タテ社会」に対して、欧米社会は「ヨコ社会」であるとされます。「ヨコ社会」では、「友達」「同僚」など対等の人間関係を重く見る傾向が強く、一定の資格さえ満たせば、その集団に入ることは比較的かんたんです。日本の会社における年功序列による雇用制度はあまり見られません。

相手の何気ない表情や話し方から性格や心情を読みとる

人の心を科学するのが心理学

優しい人　怒りっぽい人　思案深い人　マイペースな人

人にはさまざまな個性があり、それぞれ性格が違っています。人間の性格構造、心の動きや行動のデータを実験や調査で集め、科学的な手法でその特徴を分類し、理解するための学問が心理学です。学習や記憶など脳のメカニズムなどを研究する基礎心理学、赤ちゃんから心身がどのように発達するかを研究する発達心理学、集団の中で人間がどのように行動するかを分析する社会心理学、心に問題を抱える人の診断・治療を目的とする臨床心理学などがあります。

私たちは、日常生活で笑顔で挨拶し、相手の表情やしぐさからその時の心の在り方を推測するなど、無意識に観察をしています。意識して心理学的な観察力をつけることで、相手の性格や心の動などを把握し、学習や仕事をするうえで良好な人間関係を作ることなどに役立ちます。

言葉以外に感情が現れる7つのポイント

カリフォルニア大学ロサンゼルス校の心理学名誉教授であったアルバート・メラビアンは、対人で感情や気持ちを伝えるコミュニケーションをとる際にどのような情報に基づいて印象が決定されるのかについて研究しました。たとえば、「楽しい」と言いながら、声のトーンは低く、不機嫌な顔をしているといったような矛盾したメッセージが発せられたときに、どう感じるのかを検証した結果、「言語情報」が7%、話し方などの「聴覚情報」

が38%、見た目や表情などの「視覚情報」が55%となり、言葉以外のコミュニケーションが大切な役割を担っていると結論づけました。これは「メラビアンの法則」と呼ばれています。

「目は口ほどに物を言う」ということわざがあるように、人間の感情は身体のあらゆる部分に表れると言われています。心理学では、以下の7つのポイントが重要であるとされています。

▶ 表情(喜怒哀楽)

口が軽く開いていると、相手が自分の話に興味があって集中して話を聞いている表れとされます。

▶ 視線(直視、キョロキョロ、開閉、目線の高低)

人は嘘をつく時には右上を、過去の出来事を話すときには左上を見る傾向があるとされます。

▶ ジェスチャー(ピース、OK、手招き)

テーブルの上でグーの状態でこぶしを固く握っていると、相手の話を聞きたくないとされます。

▶ 声(話し方、音調、トーン、リズム、テンポ、大きさ、語尾)

ホンネは声がリラックスし、気が緩んだ時に出やすくなります。

▶ 姿勢(体の動き、腕組、足組、しぐさ、癖)

腕組み(体の下のほうで)する時は、何事かに不安を抱き、自分の身を守ろうとしている防御姿勢を表すとされます。

▶ 接触(タッチング、対人距離)

自分の顔や身体によく触るのは「自己親密行動」と呼ばれ、緊張や不安を紛らわせたいことを表すとされます。

▶ 呼吸（速い遅い、休止、リズム）

呼吸が激しいときは、ストレスが最高潮になります。

たとえば、次のようなしぐさをしているとき、人はどのような心理状況にあると思いますか？

［手のしぐさでわかる人間の心理］

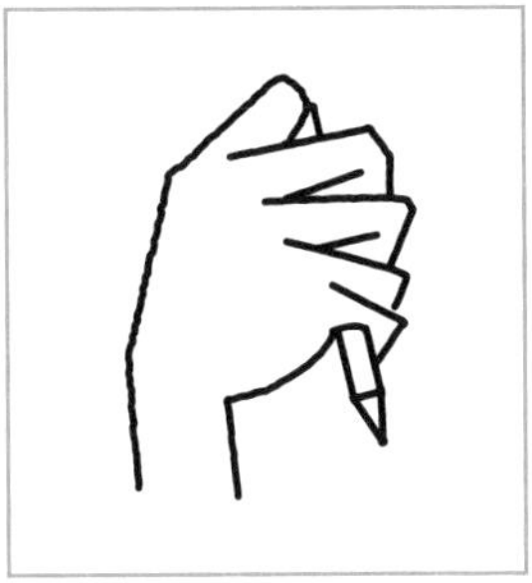

近くにあるものをずっと触る

腕組みをしている

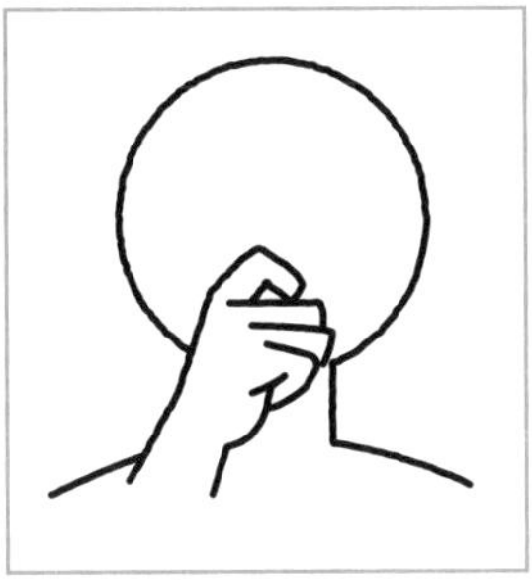

鼻をよく触る

コツと正しいやり方は、まず「先入観」を排除して、目の前のことをありのままに見るよう心がけることです。たとえば、「笑顔だからいい人」という思い込みをしないで、「その人は今笑っている状態」というように客観的に見ることです。心理学では、「人には3種類の笑顔がある」と言われます。

- 本当の笑顔はまず口が笑って次に目が笑う
- 作り笑いは目が細くならない
- 軽い笑いは左右非対称になりやすい

人間観察をしてみよう

瞬間に相手に表れるさまざまな特徴（上記の7つのポイント）をキャッチする能力が、人間観察力であると考えられます。ここまでで解説した基本をふまえながら、人間観察を練習しましょう。

▶ 会う前にできるだけ情報収集し、その人がどんなタイプか想像してみる

【例】外形、出身地、学歴、社会的立場など

▶ 相手の話をよく聞きながら、7つのポイントを細かく観察する

特に視線には感情が表れやすいので、注意して見てみましょう。

▶ 第一印象などを手帳などにメモしておく

相手がどんな話題の時に、どの方向に視線を向けるのか、腕組みをするのかなど身体的なものや、どのように考えるのかといった思考やモノの見方のタイプなど、個人メモを作っておくといいでしょう。特定の傾向が見られると、そこから相手のパーソナリティが見えてきます。

▶ 何度か会ったあとで、第一印象が正しかったところ、誤解していたところを確認する

前回観察した時の相手の健康状態などが普通ではなかった場合もあるので、この作業の繰り返しによって正確性を確認します。

人間観察力をつけることで相手の考えていることが理解でき、かつ相手に寄り添うことができれば、さまざまな人たちと、よりよい関係を築くことができます。また、身近な人たちを観察しながら、その人たちの話し方や身ぶり、表情などを見て好感が持てると真似したくなりますし、逆に感じが悪い反応や態度を見ると気をつけようとするでしょう。すなわち、人間観察は「他人を通して自分を理解したい」という心理にもつながるのです。

人間に対する興味は、自分に対する興味でもあります。人間観察を通して、自分がはたしてどういう人間なのか、どういう人生観を持てばいいのか、他人の前でどのようにふるまうべきか——そうしたことも学んでいるのです。

COLUMN

ユングの「類型論」～人の性格はタイプ化できる

心理学では、ある人を特徴づけている持続的で一貫した行動パターンを性格（＝パーソナリティ）と呼んでいます。性格は、先天的にもっている部分と、その後の育ってきた環境によって形成される部分があるとされます。

スイスの精神科医カール・グスタフ・ユングは、人の深層心理を分析し、苦悩を抱える人たちのための療法を確立しました。人の心の働きは意識のコントロールを越えた「無意識」と強い関係にあるという彼の理論は、「ユング心理学」ともいわれています。

ユングの心理学研究の1つである、人格・性格をタイプに分けした「類型論」は有名です。人は外部から何らかの刺激を受けたとき、無意識に心がどのような動きをするのかによって、「2つの態度」と「4つの機能」に分類されるというものです。

▶2つの態度

「外向的」と「内向的」です。

外向的は、外部のものに関心が強く、他人のこともよく観察するタイプ。周囲に何か影響を与えたいと思う傾向が強い人です。

内向的は、自己の内面に関心が強い、内省的なタイプ。他人に対して関心が弱い傾向がある人です。

▶4つの機能

「思考」「感情」「感覚」「直観」です。

思考は、物事を論理的に考え、理論や理屈への関心が強く、物事には原因と結果があると捉え、その過程を筋道立てて分析するタイプです。世の中のさまざまな出来事を分類・整理することや、比較の視点から考えを深めるのが特徴です。理論を重視する反面、損得勘定が強く、「理屈っぽい」人という印象を与えます。

感情は、「好き・嫌い」「快・不快」などの気持ちで物事を判断する傾向が強いタイプです。コミュニケーション能力が高く、だれとでも親しくなれる特徴があります。いわゆる困っている人を放っておけない「お人よし」な性格といえます。

感覚は、物事をあるがままに感じ取り、ビジュアルで把握するタイプです。情報を客観的に把握する能力が高い一方、何かを判断・決断することには消極的だったりします。

直観は、ひらめきで物事の核心を理解しようとするタイプです。一方、そのひらめきを深く追求・分析し、実現させることには関心が薄く、常識や固定観念にも縛られず、リアリティよりもイメージや理想を好む人が多いといえます。

ユングは、2つの態度×4つの機能＝8つのタイプに人を分類しています。人の言動のパターンや傾向を知るうえで1つの参考にしてください。

「観読」でがんばらずに脳に刺激を与える

私は留学していた時、毎日何冊も外国語の本を読まなければならない生活を送っていました。しかし、難解な哲学書や文学作品、サイエンス論文など、どれほど集中して読んでも内容がまったく頭に入ってこないことはよくありました。そんな時にふっと思いついたのが、「本を眺めているだけでもいいんじゃないか！」ということです。

そうした考えを哲学を専攻する友人に話したところ、「自分もまったく同じ考えだ」とあっさり言われました。読書に疲れたら「絵本を眺めている」というのです！

一般的に読書というと、みなさんはすぐ「精読」を思い浮かべるでしょう。しかし、多忙な日常生活の中では、学生ならば授業の課題図書、ビジネスパーソンならばExcelの解説書など、よほど必要性が高いものでなければ、じっくり読むのはなかなか難しいことです。また、長い文章を読むのはいまひとつ意欲が湧かない、苦手だという方もいるでしょう。

そんな方は、本の目次や挿絵、または写真集や絵本をただ眺めてみてください。「読書」＝「本を読む」ですが、本を眺めることを私は「観読」と名づけています。

眺めることで、なぜ「考える力」や「想像力」が鍛えられるのか

観読は、医学や脳科学の観点からみてさまざまな効果があることがわかっています。医学博士の加藤俊徳氏によれば、絵本を読んだり眺めたりすることで、右脳に視覚的な刺激が伝わり、「考える力」や「想像力」が鍛えられるというのです。さらに加藤氏は、絵本や本の挿絵やイラストなどのページをめくる動きには、直前に見た映像記憶を頭に残す「スケッチパッド・ファンクション」があり、右脳の脳トレになると主張しています。

最近では、絵本を使った大人のための心理療法、「絵本セラピー」にも注目が集まっています。

「観読に効果があるなら、漫画でもいいのでは⁉」と思うかもしれません。ですが、漫画は言語を司る左脳を使って文字を読んでから、絵や写真などイメージに関する右脳を少し使うだけなので、感覚的な脳の刺激にはなりません。絵や写真を眺めることで脳に刺激を与え、記憶力と想像力を育成するのが観読の目的です。

観読をしてみよう

観読は、次のステップで練習してみてください。

▶ 1 興味や関心のある本を数冊選び、目につきやすいところに置く

とくに写真や絵がふんだんに入っているものを用意しましょう。

▶ 2 気分転換やリラックスしたいタイミングで1冊選んで眺めてみる

表紙やタイトルから、目次、文中の小見出しや絵図などを、疲れない程度で眺めてみてください。文字を読もうとするのではなく、あくまでも視覚的なものに集中してください。

また、「」がついているキーワードなど、目に入ってくるものをビジュアルとして眺めてください。

▶ 3 眺めるリズムを2種類以上変える

まずは心地よく眺められるリズム（基本リズム）を探ってみましょう。同じスピードで眺めていると、単調に感じられて、ダラダラしてしまうので、それを防ぐためには眺め方にメリハリをつけることが大切です。関心の高いものはとくにゆっくり眺めるなど、眺めるリズムを適宜変化させましょう。

▶ 4 気に入った絵図の細部まで観察し、想像力を働かせる

関心や興味がある絵や写真、イラストが見つかったら、「心のささやき」「目に見えないもの」「何かの比喩もしくは象徴」「擬人化」「自分の経験や

日常と重ねる」などをイメージしながらじっくり眺め、想像を膨せましょう。

ここでは、『マウルスとマドライナ』（アロイス・カリジェ 著／大塚勇三 訳／岩波書店 刊）を例にします。ヤギ飼いの少年マウルスと、町に住む従兄弟のマドライナのお話です。

以下に挙げたようなポイントに沿って、作品から自由にイメージや連想をしてみましょう。登場人物やストーリーの展開に自分自身を置きかえやすくなり、想像力が豊かになります。

『マウルスとマドライナ』より

［観読のポイント］

想像する （描かれていないものを思い浮かべてみる）	・噴水の中にカエルが泳いでいる
出来事を考える （細部の描写から時代背景などに気づく）	・噴水の「1870年」は明治維新の頃だ（世界の近代化）
自分のテーマを考える （本来の内容や主題ではないことに着目する）	・ドレッドヘアーの少年
何を言っているか想像する （心のつぶやきを吹き出しをつけてみる）	・「この果物買って！」 ・「果実酒にしたらうまそうだ！」
絵の中に入る （景色の中の光や風、温度や湿気、ざわめきやにおいを感じる）	・長袖だから涼しい ・果物の匂がする ・風の音がする
何が問われているか考える （疑問をもって思索する）	・塔の上の風見鶏と風車の向きが違う？ ・もしかして風が強い？

文中のキーワードが目に留まったら、それは「本の筆者が自分に送ったメッセージだ」などと受け止めてみましょう。

▶ 5 眺め終わったらいったん本を閉じて、いろいろなことを想像してみる

表紙から最後までに掲載されていたイラストやキーワードなどを相互に関連させたり、文脈の背後にある世界を想像してみたり、本のテーマと自分の想像を合体させたりするなど、少し時間をかけて、自由自在に思考してみてください。

もし友人や同僚も同じ本を読んでいたとすれば、お互いに眺めて感じたことや、想像してみたことを話し合ってみましょう。同じ絵や写真を見てもまったく違った発想だった場合は、なぜそう感じたのか考えてみてください。そうすることで、自分や相手の考え方のクセや傾向がわかります。

書物の色鮮やかな表紙は、眺めているだけでも癒されます。ただ何も考えずに、本をぼーっと眺めるのも意義があるのです。

COLUMN

読書を勧める理由

最近では、SNSなどのメディアで、いつでもどこでも自分が欲しい知識がかんたんに手に入ります。しかし、私は本を読むことにはそれ以上の意味があり、人の心も成長させてくれると思っています。

大切なのは「知識をかんたんに入手すること」ではなく、「知識をどのようなプロセスを経て得たか」です。たとえば、Twitterなど、1行か2行の短文で自分の意見を主張されても、その人の考えの深さや性格まで読み取ることはできないでしょう。

私には、「物事の背後にある成り立ちを知ることに時間を惜しまないでほしい」という思いがあります。数学に例えるなら、方程式を知ると同時に、その方程式がどのようにして導き出されたのかを知ってほしいのです。そうした深い知識を得るには、読書が適していると考えています。アルバイトなどで忙しい学生たちは時間を節約したいと思うかもしれませんが、読書によってアイデアを導き出せる力が培われ、将来にきっと役立つときがくると考えています。

2章
傾聴する

シャドーイングで聞き逃しを防ぐ

聞くこととは、だれかが話している間は静かにしているという“受け身”の行為だと思っていませんか？

静かに聞いている状態であっても、じつはしばしば部分的にしか聞いていなかったり、話の内容に判断を下すというように、意識が自分に向いてしまって集中できていないことがあります。聞くことも、能動的に取り組む必要があります。

人の話をきちんと聞くことができないと、「知識やスキルをまちがって記憶してしまう」「的外れな意見を言ってしまう」「言った・言わないの無益な論争につながる」などの問題が起こってしまいます。これらを繰り返していては、学習や仕事の効率を下げるだけではなく、自分の知的成長を妨げることになってしまいます。

「自分へ意識が向いてしまう」「心の中の会話が始まってしまう」問題を防ぐには

「人の話を聞き逃さずにすべて理解する」というのは、かんたんなことではないでしょう。産業カウンセラーの大野萌子氏によると、人の話を集中して聞けないおもな原因は、話を聞いている途中で自分へと意識が向いてしまうことにあるとされます。「自分だったらこう言うだろう」「スライドが素晴らしい」など、話の途中で自分の考えが頭に浮かぶからです。人は何かを聞いている間に、たくさんの思いや考えが雑音になり、集中力が途絶えてしまうのです。

また、労使関係が専門の企業コンサルタントであるジェームズ・ハンター氏は、一般的に人は「話すよりも4倍速く考えられる」としています。ハンター氏は、積極的に「聞く」ためには、授業や会議で人の話を聞こうとする間「心の中の会話」を黙らせておくトレーニングが必要であるとしています。

シャドーイングの4つのポイント

では、心の雑念をなくして積極的に聞くためにはどのようにすればいいのでしょうか？

初歩的なやり方として「メモ」を取る方法がありますが、さらに「聞く」ための集中力を高める方法としてシャドーイングがあります。シャドーイングは、英語など同時通訳者が話し手になりきって通訳をするために取り入れているトレーニングの1つです。通訳のスペシャリストは、単に言語だけを翻訳するのではなく、話し手の言葉の中にある感情を読み取り、適切な言葉に置き換えて伝えます。以下の4つがポイントとされます。

①話し手の言葉
②音の高低
③声の強弱
④ブレス（息継ぎ）

①から④へと段階を追って焦点を当てながら、聞き取ったとおりに言葉を発するトレーニングをすることで、話し手になりきり、聞く集中力を養うのです。実際、シャドーイング中は自分のことを考えている暇がないことがよくわかります。

3人シャドーイングをやってみよう

3人でシャドーイングをとり入れた、聞く力を鍛える練習法を紹介します。まず、以下の役割を決めましょう。

- 話し手
- リアル聞き手
- 影の聞き手

そして、以下のステップを、15分ほどで実施します（1つのステップで5分が目安です）。

▶ 1 話し手は好きなテーマについて話し、リアル聞き手はできるだけ正確に聞き取る

影の聞き手は、話の内容だけでなく、話し手の声の調子や表情などを細かく見て感情を読み取る

▶ 2 リアル聞き手と影の聞き手は、話し手の反応についてお互いの感じ方の違いを話し合う

▶ 3 最後に3人でどれぐらい正確に言葉と感情が読み取れているかを確認する。聞く姿勢がちゃんとできていたのかもチェックする

3人シャドーイングをしていると、たとえば影の聞き手は「リアル聞き手のあの応答はよくなかった」と感じても、話し手が「リアル聞き手がよかった」と違う感覚をもっていたりして驚くことがあります。その逆もあり、リアル聞き手と影の聞き手の間で聞く姿勢に大きな違いがよく起きます。

COLUMN

シャドーイングによるインプット効果

第二言語習得を研究している門田修平氏は、シャドーイングの効果の1つとして、リスニング能力を高める「インプット効果」を挙げています。門田氏は、シャドーイングによる「インプット効果」は、次の4段階を経て起こることを明らかにしています。

①シャドーイングの訓練
②復唱能力の発達
③発音速度の高速化
④リスニング能力の向上

相手の話など、インプット音声を「模倣・再現」することで、聞こえてきた音声を捉える能力が鍛えられ、それをくり返しトレーニングすることで、結果的に聞いて理解するリスニング能力が育成されるとしています。

耳で記憶する力を伸ばす

私が勤める東京外国語大学には、「言語」を専門とする教授や、言語に関心をもつ学生がたくさん集まっています。中には、数か国の言語に精通していて、新しい言語であっても自主的に学んだだけで短期間でマスターできる人もいます。

そうした人に「どうやって学んでいるの？」と質問したことがあるのですが、「まず言葉を音声として耳で覚えて、文字は後から目で見て覚えている」とのこと。また、「本を読むと、まず文字が頭の中で音声になって、そうして理解している」というのです。つまり、頭の中では、文字や知識が音声に変換されているのでしょう。

古来より、人間の知識は耳から耳へと伝わってきました。聴覚による記憶力は、人類の歴史において、視覚と同じくらいに大事な役割を果たしているといえます。コンピューターや3D画像の進歩によって、視覚から情報を記憶する機会が増えていますが、それでもなお聴覚から記憶する力を伸ばしていく必要があります。なぜなら、試験など覚えなくてはならない事柄は、すべて目に見える形で用意されているとは限らないからです。

記憶力がいい人は、知識や情報に対して「自分なりの聞き方」を持っているものです。そして、自分で考えたり、意見を言ったりすると、記憶として残る可能性が高いのです。

聞く力と記憶はどう関係するのか

聞く力と記憶の関係性については、おもに脳科学や認知心理学の分野で研究が進められています。

▶モダリティ効果

「モダリティ効果」は、実験心理学の用語で、情報の提示方法が記憶と学習に与える影響を説明するものです。1999年にモレノとメイヤーによっておこなわれた研究では、視覚的な情報ではなく聴覚的な方法で情報が提示されると、記憶する際に脳にかかる負担が軽減されることが示されました。具体的には、特に短期記憶力に関して、聴覚的に提示された知識や情報は、視覚的に提示されたものよりもよく想起されるというデータがあります。

▶聴覚系脳番地

脳科学では、海馬が耳や目などから脳へ入ってきた情報を集めて整理し、記憶する役割を担っているとされますが、海馬は聞く力に関係している「聴覚系脳番地」と機能的に強く関係しています。脳のMRI検査などで調べてみると、この「聴覚系脳番地」の枝ぶりが発達していれば、聞く力が成長しているとされます。

話を聞くことで知識を得る時など、以下のような状態が見られる場合は、注意が必要とされます。

- 人が話しているのに、別のことを考えてしまう
- 「もう1回言って？」と聞き直すことが多い
- 言葉で指示されても、なかなか覚えられず、行動できない
- 相手の声が小さいと聞き取れないことが多い
- 音楽やラジオなどを聞くことが嫌い

▶宣言記憶と手続き記憶

脳科学によると、まったくなじみのない新しいことより、既知のことに関連することのほうが、記憶が定着しやすいことがわかっています。そのため、すでに知っている知識・情報（歌のメロディなど）と合わせることで、新情報は「関連情報」として処理され定着しやすくなるとされます。

知識や情報が脳内に定着し、忘れにくくなったものは、「長期記憶」とよばれます。長期記憶には「宣言記憶」と「手続き記憶」の2種類があるとさ

れています。かんたんに説明するとすれば、次のとおりです。

- 宣言記憶 ⇒ 言葉で説明できる記憶
- 手続き記憶 ⇒ 言葉で説明できないが再現できる、いわゆる「身体が覚えている状態」

具体的には、替え歌などメロディに乗せて聞いて覚えたものは「手続き記憶」に分類され、スケートや水泳などスポーツの動きや車の運転操作などと同じメカニズムで忘れにくいとされています。

聞く力をつける3つのトレーニング

では、どうすれば聞く力を鍛えることができるのでしょうか。

知識や情報を一生懸命覚えようと努力するより、むしろ自分なりの聞く方法の習得に意識を向けて努力することが大事です。以下では聞く力を伸ばすための3つのトレーニングを紹介します。

▶セルフレクチャー

「セルフレクチャー」は、自分で自分に教える勉強法です。聞く力を伸ばすためのセルフレクチャーとしては、授業を聞く際に、先生の話の仕方をそのまま再現するつもりで聞きとり、後で声を出して再現してみる方法があります。たとえば、先生が授業中に「遣唐使は894年だけど、解答欄は白紙（894）にしてはいけない」と説明したら、自分もその先生になったつもりで、身ぶり手ぶりを交えて同じことを言うのです。ニュースの内容や、芸人さんのおもしろいネタを話すことでも練習になります。この方法をとると、「自分の声を、自分の耳で聞く」という点で、聴覚の記憶の向上につながるとされます。

▶速聴

聞く力が育たない原因の1つに、「相手の話すスピードについていけない」ことが挙げられます。知識を理解する力はあるとしても、単純に相手の話すスピードが速くて追いつけないという問題です。デジタル社会にある現在、日本人は分速400文字～ 600文字程度で話すため、それをすべて聞き取るのは難しいでしょう。

YouTube動画、オンラインでの映像・音声学習でも倍速再生ができるので、繰り返し聞くなどがいい練習になります。慣れてきたら、3倍速などスピードを上げてみましょう。

▶替え歌記憶法

歌やメロディを用いて記憶する「替え歌記憶法」の有用性については、さまざまな分野で研究が進められています。替え歌で記憶すると、読み上げで記憶するよりも「覚えやすさ」や「楽しさ」の要因が強く作用することから、すでに教育の場面で取り入れられており、意欲や動機づけの観点から効果があることがわかっています。

私のゼミでは、学生たちにどのような替え歌を使って知識を記憶したかを話し合い、実践例としてあげる授業をしています。古くからあるものや最新の歌謡曲にあわせたもの、留学生からは世界的によく知られているメロディの替え歌が紹介されたり、興味深いことが多いです。

余談ですが、私は授業での活舌をよくするために、毎日「外郎売（ういろううり）」をそらんじています。外郎売は、歌舞伎の台本をもとに作られたもので、早口言葉や発声・滑舌の練習などの教材としてもよく用いられています。昔の言葉で書かれてあり、それも長い文章なので、すべて文字で覚えることはとても難しいと思います。私は、外郎売を文章で読むのではなく音声で何度も聞いて、繰り返し話すことで全文を記憶しました。

替え歌で記憶力を鍛えてみよう

なじみ深いメロディを用いて、記憶する練習をしましょう。以下の手順でおこなってください。

▶ 1 好きな曲を用意する

「すでに頭の中にある音に関連づけて覚える」ことがこの方法の基本であるため、なじみ深く、いつでも思い出せるような曲を選ぶのがいいでしょう。

▶ 2 記憶したいことをメロディに乗せる

歴史や化学記号など、記憶したい知識や情報を替え歌にします。

【例】徳川の歴代将軍の名前を記憶する

メロディー：アルプス一万尺

「家康、秀忠、家光、家綱、綱吉、家宣、家継、吉宗、家重、家治、家斉、家慶、家定、家茂、慶喜」

▶ 3 替え歌を何度も繰り返す

まずは文字を気にせず、音で記憶しましょう。それができるようになったら、音と文字を正確に合わせていってください。

インターネット検索してみると、たくさんの便利な替え歌の例や、関連書籍を見つけることができます。音楽を口ずさむような感覚で、楽しんで知識を習得してください。

COLUMN

言語の臨界期と乳児の聞き取り能力

第二言語習得論などの研究によると、人が言語習得に向いている期間の限界は「臨界期」と呼ばれ、臨界期を越えると新しい言語の習得は困難とされています。ですが、この臨界期がいつまでかについては諸説あり、思春期（およそ17歳ごろ）まで続くという説が有力となっています。一般的には、7歳までに吸収した言語は母国語並みに話せるようになる可能性が高いとされています。まさに、自然のシャドーイングですね。

ワシントン大学の学習脳科学研究所所長であるパトリシア・クール氏は、生後6ヶ月の乳児に対して、言葉の音の切り替わりに反応できるかという実験をしました。その結果によると、乳児は英語以外の言語でも、言葉の音の切り替わりに反応できるということです。

また、クール氏の実験によれば、生後6～8か月の日本人の乳児が英語の「r」と「l」の音を聞き分けられることが明らかにされています。ですが、そのあと成長するにつれて、母国語を効率的に習得するために、周囲の母国語のあらゆる音に対して情報処理をおこない、母国語に不必要な音を捨て去るとしています。

リレースピーチで話を正しく聞く力を磨く

文化庁が毎年おこなっている「国語に関する世論調査」によると、「誰かの話を聞いていて、その人の言いたかったことと、自分の受け取ったこととが食い違っていたという経験があるか、ないか」という項目では、6割台半ばの人が「ある（計）」と回答しています（平成24年版）。年齢別に見ると、「ある（計）」の割合は20代以下で8割前後、30～50代では7割前後、60歳以上では約6割となっています。学齢期にある若い年代ほど、相手の話の真意をまちがって理解しているという結果になっています。

この原因の1つとして、「自分の主張ばかりして、相手の話が聞けてない」ことなどが挙げられます。学習や仕事の場面で的確な返しをするためには、相手の話をしっかりと聞いて理解することが前提です。話が理解できていないと、的外れな返答をしてしまったり、会話がスムーズに進まなかったりしてしまいます。

聞く力の3段階

比較教育学では、会話中お互いに主体的に聞き合うことは、相互を理解・尊重するとともに、自分の考えの変容と話し方や聞き方の向上を客観的に理解することにつながると考えられています。そのような認識に基づいて、比較教育学では、聞く力を「受容」「理解」「発信」の3つの段階に分け、それぞれの段階で必要な力を以下のようにしています。

①受容（聞き容れる）の段階

⇒相手の話を聞こうとする行動力（動作、表情、視線、態度）

②理解（聞き取る）の段階

⇒話の内容を的確に聞き取る力

③発信（聞き返す）の段階

⇒話された内容をもとに、自分なりの感想や意見を述べる力

「聞く力」は、ただ相手の話に耳を傾けるだけにとどまるのではなく、聞いたことについて質問したり、意見を述べたりするなどの表現活動まで含めてとらえています。

リレースピーチで会話のリズムを身につけよう

聞く力の3段階にもとづいて自然と会話のリズムを身につける方法に、「リレースピーチ」があります。リレースピーチとは、3～4人ほどで、好きなテーマを1つ選び、それに沿ってしりとりのように1人ずつ話をしていくというものです。前の人の話をしっかり聞かなければ、自分の順番で話がつながりません。

手順は以下のとおりです。最初からスムーズにやろうと思わずに、ゲーム感覚で楽しみながら試してみてください。

▶ 1　1人目が1分間、好きな話（趣味、友人、部活、仕事など）をする

（ちょうど1分で話を打ち切る）

▶ 2　2人目の人が、前の人の話を正確に伝えて、続きを同じように1分間で話す

（これを次の人にもくり返す）

▶ 3　最後の人が話し終わったら、最初の人に戻り、全部の話を要約したうえで感想を言う

慣れてきたら、次のような工夫をすると、難易度が変わって楽しめますし、よりいっそう想像力も表現力も高まっていきます。

■ 参加するメンバーの年齢や性格を変えてみる
■ 1人あたりの時間を2分、3分と増やしていく

聞く力を伸ばす練習をする相手が見つからない場合は、テレビやYouTubeなどで「徹子の部屋」のような対談の動画を見つけて、よく観察してください。

「どのような仕草をしたら、相手がどのような仕草をするか？」
「話をしている2人が、どれぐらい同調しているか？」

などを観察してみると、聞く力のポイントがわかります。

相手の話をうまくつなげる5つのポイント

リレースピーチで相手の話をうまくつなげるためには、次のようなポイントがあります。

①キーワードをピックアップして話す
②「たとえば……」と具体例を示す
③「反対の立場から考えてみると……」と逆説を示し、
新しい視点で話す
④問題点をクローズアップして、できるだけ改善点を示す
⑤想像を膨らませ、話題を広げる

次の人は前の人の話を集中して聞き、そこから話をさらに展開していくために傾聴の姿勢が身につきます。また、最初から最後まで一字一句メモしなくても、重要なキーワードや具体例などを探し出すことさえできれば、聞くコツがつかめてくるでしょう。

COLUMN

会話をスムーズに進めるコツ

相手と会話をスムーズにおこなうためには、コミュニケーションをとる中で協力関係を築くことが大切になります。スポーツに例えるなら、キャッチボールをすることと似ています。

「この人は取りやすいボールを投げてくれる」
「どんなボールも受け取ってもらえる」

そう思ってもらえれば、会話のキャッチボールもスムーズですよね。安心して話せると感じられれば、良好な会話ができます。
ところが、実際の会話になると

「相手の話をきちんと聞いていたか？」
「返答はどうしようか？」
「相手を傷つけていないか？」

などなど、考えることがたくさんすぎて、難しくなってきます。
「聞」という文字は、「門」の中に「耳」が入っていますね。これは、「門を閉じて聞き耳を立てている状態」です。会話が円滑に進むためには、発話があったらよく聞くことです。その際には、次のことが大切になってきます。

- 相手へ自分の興味・関心を向ける
- 相手がどのような気持ちで話しているのかを感じる
- 相手はどんな内容の話が好きなのかを考える
- どんな言葉を投げると喜ぶかを考える
- どれくらいの速さまでなら話を受け取ってもらえるのか考える

これらのことを意識すると、会話がスムーズになっていきます。

傾聴するために
相手とラポールを形成する

統計によると、コミュニケーション全体のうち、人は「聞く」ことに65％の時間を費やしているとされます（「話す」ことが20％、「読む」ことが9％、「書く」ことが6％）。ですが、相手の話をただぼんやりと聞くことと、注意深く聞くことは別物です。

英語で「聞く」を意味する言葉は「hear」と「listen」ですが、ネイティブはこの2つの単語を状況に応じて使い分けています。前者はただ自然と物音が耳に入ってくる場合や、たまたま音が聞こえる場合に使います。一方、後者は、集中して耳に入ってくる情報を聞いて理解する場合、つまり積極的に耳を傾けて「聴く」場合に用いられます。「聞く」と「聴く」は違うのです。

ただ相手の話を聞くだけでなく、相手の考え方、相手の世界観などを深く理解し、良好な人間関係を築くためのスキルは「傾聴」とよばれます。学習や仕事では特に、相手の話にしっかりと耳を傾け、共感しながら会話を進めることで、論点を把握する傾聴力が必要とされます。傾聴をするためには、相手が心地よく感じる言葉やフレーズを用いたり、相手と似たような動きや仕草をすることでラポールを構築することが大切です。ラポールはフランス語で「架け橋」を意味し、心理療法の分野では「親密な関係」「信頼関係」などと訳されます。具体的には、相手と自分がお互いに

「心が通い合っている」
「話したことが十分に理解されている」
「いっしょにいて楽しい」

と感じられる状態にある時、ラポールが形成されているとされます。

ロジャースの3原則とラポール形成を邪魔する3つの行為

傾聴は、アメリカの心理学者でカウンセリングの基礎を築いたカール・ロジャーズによって提唱されました。ロジャースはカウンセリングの事例を分析して、話を聴く側には3つの原則があるとしています。

①自己一致：話を聴いてわからないことをそのままにせず聴き直す
常に真摯な態度で相手の真意を理解する
②共感的理解：相手の立場になって話を聴く
③無条件の肯定的配慮：善悪や好き嫌いといった評価をせず、肯定的な関心を持って聴く

相手の話をよく聞けているつもりでも、実際には見当違いな受け答えをして、ラポール形成を妨げている可能性があります。たとえば、以下の行為が考えられます。

▶キーワードの受け取り方を誤る

A「そろそろデスクトップパソコンを買い替えようと思っているのだけど、どこのメーカーがいいと思う？」
B「最近デスクトップを使う人が減っているらしいね。これからはタブレットの時代だよ。機能性もよく、携帯できて便利だし」

この会話の場合、BはAの発した質問の「デスクトップ」というワードだけを拾って、相手の求めている答えとはまったく異なる返答をしてしまっています。Aの話の論点は「デスクトップパソコンを購入する是非」ではなく、「どこのメーカーのものを買うべきか」です。このように話の論点をズラしてしまっては、相手の話を聞いていることにはなりません。

▶不適切な質問の仕方をする

人は普段の会話で意識することなく相手に質問する場合がありますが、

その際に以下のようなことをしてしまうと相手に不快感を与えることになります。

- あいまいな質問をする
- 相手の望まない「ズレた質問」をする
- 質問を重ねすぎる

▶話の腰を折る

会話の途中に自分の意見や自慢などをはさんで相手の途中でさえぎるなど、話の腰を折ってしまうと、相手の話す意欲を削ぐことになります。また、手に持ったペンをもてあそんだり、貧乏ゆすりをすることなども、信頼関係を築く阻害要因になります。

ラポールを形成する4つのテクニック

では、相手が「よく話を聞いてくれている」と感じさせるためにラポールを形成するには、どうすればいいのでしょうか。

まずは、ロジャースの3原則にもあるように、相手の考え方など世界観を尊重することが重要です。「相手をコントロールしたい」「自分の考えをわからせたい」といった感情が強くなると、ラポールは形成され難くなります。

そして、ラポールの形成には「類似性・同調行動の法則」があります。姿勢が似ていたり、身ぶりなどの行動が一致すると、相手と自分との間に一体感が生まれ、相互に安心感がもたらされるというものです。ラポールが形成されていくにつれ、類似性・同調性は高まるとされています。以下の4つのスキルを効果的に用いることで、相手の話を傾聴している姿勢がはっきり伝わります。

▶ 1 ミラーリング

相手のしぐさや姿勢を鏡（ミラー）に映しているように真似して、同調意識を高めることです。たとえば、「会話中に相手がコーヒーを飲み始めたら、自分もコーヒーを飲む」といったことが挙げられます。長年連れ添った夫婦や仲のいいカップルなどの行動をよく観察すると、自然とミラーリングがおこなわれていることがよくあります。

▶ 2 ペーシング

相手の話し方やテンポのリズムを合わせるテクニックです。相手がゆっくり話すと自分もゆっくりと話す、相手が早口ならこちらもそれに合わせるようにします。相手の肩や胸の動きに注目するとリズムを合わせやすくなるとされます。

▶ 3 キャリブレーション

発言以外の部分で相手の心理状態を理解する方法です。言葉以外のサインとしては、以下のものがあります。

- 姿勢
- 呼吸
- 表情
- 声のトーン

たとえば、相手が疲れている時なら、口では「大丈夫」と言っていても、声のトーンや顔色などからあきらかに疲れているのがわかることがあります。そういった相手のサインを読みとり、「顔色がよくない」など気づかう言葉をかければ、相手の信頼が得られます。

▶ 4 バックトラッキング

いわゆる「オウム返し」のことです。相手の言ったことを自分も繰り返して言うことで、相手の話を受け止めている気持ちを伝えることができます。特に相手が聞いてほしい話をしているときが効果的です。バックトラッキングのスキルについては、次節でよりくわしく解説します。

歩きながら傾聴してラポールを築いてみよう

ここでは、日常会話の中で相手の話をよく聞きながらごく自然な「ペーシング」「キャリブレーション」「ミラーリング」をするための練習をしましょう。親しい友達、同僚、家族など、歩きながら以下のように取り組んでみてください。

▶ 歩きながらミラーリング

対象となる人から少しの距離をキープしながら、まずは歩調を合わせます。手のふり方、足の蹴り上げ具合、歩幅なども、なるべく同じになるようにしましょう。

▶ 歩きながらペーシング

相手の歩くリズムをつかめたら、自分もそのリズムで歩きます。その時、心の中で相手の歩調を「タッ・タッ・タッ」と心の中で刻むと合わせやすくなります。相手と歩くリズムが合ってくると、話を聞く・話すタイミングがわかってきます。

▶ 歩きながらキャリブレーション

動作や歩調を合わせながら、その時に相手はどんな気持ちになっているかを考えてみましょう。相手の話をよく聞いて、声のトーンや抑揚などを同調させていきます。そして、会話の内容に応じて、適切な言葉で返答するようにしてください。

COLUMN

ラポールのテクニックの注意点

ラポール形成のテクニックを実践する場合に注意しておくことが2つあります。

やりすぎないようにする

ミラーリングなど、わざとらしく同調行動をしていることが相手へ伝わると、不快感を与えてしまう場合があります。いつもの自分になじむようなラポール形成を目標にしましょう。

ネガティブなことは真似しない

相手が腕を組む時など、場合によっては心に壁をつくって自分を守っているというクローズドな姿勢であるため、ミラーリングして自分も腕を組むと逆に相手を不快にさせてしまうことになります。また、「いや」「でも」といったネガティブにとられやすい言葉や、「ため息をつく」「時計をチラチラ見る」といった行為も逆効果となってしまうため、注意が必要です。

バックトラッキングで聞く姿勢を見せる

アメリカの大学院でコミュニケーション学の授業を受けている時のことです。私はたどたどしい英語で（いまもそうですが！）、授業中クラスメートたちの話のスピードについていけず困っている状況を直接教授に相談したことがあります。気がつけば30分ぐらいグチっぽく話していたと思いますが、その間、教授はずっと私の話に耳を傾け、時折私の言った言葉を短くくり返しました。そして最後に、私の長い相談ごとをとても短くまとめ、的確にアドバイスしてくれました。その時、私は心が落ち着き、安心感を得たことを覚えています。

このように、相手の話したことを短くくり返して伝え、聞く姿勢を示す手法がバックトラッキングです。

バックトラッキングと返報性の原理

バックトラッキングとは、「反射（reflection）」と呼ばれる心理的な技法で、話し手の言葉をそのままくり返す、いわゆる「おうむ返し」のことです。次の点で、高い効果があるとされています。

- 相手が自身の感情を見つめ、理解する
- 聞き手が話し手の気持ちを理解する

バックトラッキングができるかどうかで、傾聴の30％ぐらいが決まってしまうといわれるぐらいです。

バックトラッキングをすることで人間関係が深まる理由は、「返報性の原理」が働くからとされます。返報性の原理とは、人から何かしらの施しを受けたときに「お返ししなければならない」というような気持ちになるという心理作用で、人間が本来持っている「義理」や「恩義」のようなものと考えられます。相手に自分が話した言葉をくり返されると、「自分が認められた」と感じることができ、そのお返しに好意を持つ心理が生まれるのです。

バックトラッキングのテクニック

バックトラッキングには、基本的なものからそれを発展させたスキルまで、いくつかテクニックがあります。

▶相手の感情をそのまま返す

会話の中で相手が喜怒哀楽の感情を示したとき、「うれしかったんだ」「悲しかったんだ」などと感情を示す言葉で返すと、相手との間に共感が生まれます。

話し手「昨日、面接に失敗して落ち込んでるんだ」
傾聴者「落ち込んでるんだね」

ここでは主観はまったく入っておらず、相手の気持ちに100%同調している状態になっています。

その時の会話の内容に合わせて、表情も合わせるようにします。ポジティブな話題には笑顔で対応し、ネガティブな内容には心配顔で対応すると効果的です。

▶肯定返し

バックトラッキングは、適度にすることには問題はありませんが、多用すると相手に違和感を与えてしまう場合があります。また、バックトラッキングだけでは言葉に厚みが出ないこともあります。そこで、相手の言葉をくり返した後で、それに対する肯定的な言葉をかけると、会話が円滑になります。

話し手「海外留学は本当にいい経験になりました」
傾聴者「たしかにいい経験ですね。自分の語学力を試したり、異文化を学ぶことができますから」

▶ 要約

相手の話が長くなった場合は、ひと段落ついた時に、相手の話をまとめて「つまり、○○ということですね」「なるほど、○○ということですね」などと確認するように伝えます。

話し手「じつは最近、就活にやる気が出ないんです。勉強が忙しいのもあるのですが、自分が本当にやりたい仕事なのか、ゆっくり考える余裕がなくて。本当はもっと前向きに考えることができたらいいんですけど、なかなかできないんです……」
傾聴者「なるほど、もっと前向きに考えたいのに、なかなかできないのですね」

要約して繰り返されることによって、相手は自分の気持ちを改めて整理できるほか、「しっかり伝わっている」と安心感が生じます。

要約する時は、「～ですね」「～でしょうか？」といった優しい表現を用いましょう。これは単に語尾の違いだけでなく、聞き手としての立ち位置の違いにより効果があります。

会話における要約を鍛えるためには、「XX字要約」というトレーニングがあります。たとえば「50文字」程度で童話などを要約して、声に出してみましょう。友達などといっしょに、よく知っている物語やアニメなどを要約して聞かせてみましょう。

▶ 伝え返し

最近では、単純なオウム返しと誤解される「くり返し」よりも「伝え返し」で確認をとるという考え方が主流になってきています。伝え返しとは、「相手とともにわかりあう」ということです。聞き手が話を聴きながら、理解できた（と思っている）内容が話し手の意図に合っているのかを確認する行為といえます。

私は、学生から論文の書き方や進路相談などの悩みを聞いてオウム返しをするときは、10～20％ぐらいはそのまま繰り返して、80～90％ぐらいは言い換えて返しています。

バックトラッキングをやってみよう

それでは、実際にバックトラッキングの練習してみましょう。相手の発言にどう対応するか、考えてみてください。

▶伝え返しの練習

問１「私の出身は京都市です。歴史的な建造物がたくさんあっていいところですよ」

問２「先日、ソウルのレストラン街に行ってきました。焼肉が食べ放題で、満腹になりました！」

問３「私はオーケストラ部に所属していました。楽器はフルートでした」

【解答例】

問1「建造物がたくさんあるのですね」
問2「満腹になったんですね」
問3「フルートを吹いていたのですね」

▶言い換えの練習

問１「最近、カフェでレポートを書くことが多いんだ。電源があるし、ノートPCも使えるから快適だよ」

問２「住まいは東京にあります。東京といっても、私が住んでいるところは郊外で、けっこう広いんです」

問3「最近、ジョギングがマイブームなんだ！　がんばっただけ効果が出るから、すごくやる気になるよ」

【解答例】

問1「カフェをよく利用してるのですね。家の外で勉強する時は居心地いいですね！」

問2「大都市に住んでいるんですね。郊外ならゆったりしていますね」

問3「運動することは大切だね。熱心だなあ！　効果が出るとモチベーションが上がるよね」

▶要約の練習

問1「最近、YouTubeをよく見ます。好きなお笑い芸人のコントが無料で公開されているからうれしい！　芸人さんが有名な曲をカバーしたりしていて、プロ顔負けの動画もよく上がっているから楽しめるよ」

問2「今年の4月にテニスクラブに入部して、まだ1か月ちょっとしか経ってませんが、すでに部活がいやになってきました。球拾いばかりするために入ったのではないし、このままずっと何か月もやっていくのかと思うと気が重くなります。もちろん、続けていくうちに練習が変わっていくことはわかっていても、まわりの部員にはすごく上手な人もいるし、この中でやっていけるのかと考えてしまって不安です。そうしたらもう、毎日の練習に集中できなくて、下校までただ時間をつぶしている感じです。でも、やめても次に何をやりたいかはわからない。とりあえず焦らずに考えたほうがいいかも、とも思います。こんなことを思っている自分が嫌になります」

【解答例】

問1「Youtubeが好きなんだ！　無料で芸人さんのコントや歌が聞けるのは魅力的だね」

問2「まだ1か月なのに……こんなことするために入ったんじゃない、って感じるのですね……このまま、この中でやっていけるのか……練習は変わっていくとわかっていても不安で……集中できない……焦らずに考えることもあるけど、そんなふうに思っている自分が嫌だ……っていう気持ち、よくわかります」

COLUMN

バックトラッキングをするときの6つのポイント

バックトラッキングをする際のポイントとして、以下の6つがあります。

①相手の話をさえぎらず、最後まで聴く
②相手の感覚を大切にし、それに同調する
③適度にうなずきやあいづちを打つ
④話のキーワードを繰り返す
⑤相手の話を要約し、確認する
⑥相手に共感する

学習や仕事の雰囲気をよくするためには、「話をしても大丈夫」という安心感がなければ、いくら適切な言葉や丁寧な説明をしても効果が低いとされます。話を聞くときは、これら6つのポイントをふまえながら向き合うことを心がけましょう。

3章
思考する

アイスブレイクで思考をときほぐす

集団でするサッカーの試合やオーケストラの演奏では、本番前にチーム全員で硬くなっている身体を伸ばして柔軟体操をしたり、楽器の音をきっちり調整するなど、いいパフォーマンスをするための準備をします。同じように、何かを考え、取り組みにつなげるためには、まず「考えがまとまらない」（思考停止状態）や「こうであらねばならない」（思考の硬直化）といった状態を解きほぐす必要があります。

そのための方法が、「アイスブレイク」です。アイスブレイク（ice break）は直訳すると「氷を壊す」という意味で、緊張感や重苦しい雰囲気を「氷」に例え、それを解きほぐして空気をなごませるためのアクティビティです。ゲームをしたり、会話に工夫を凝らすことで、その場にいる人の緊張が解け、話しやすい雰囲気が形成され、その後の思考活動がスムーズになります。

アイスブレイクの効果と3つの要素

心理学者のシューレとスピバックは、児童を対象とした社会的問題解決の思考力育成について研究し、アイスブレイクを経験した子どもは、そうでない者と比べて、問題を解決する際、他者への配慮や計画プロセスでの合意、想定される障害の予測、時間への考慮について、より協力して思考し、柔軟に取り組む傾向があることを明らかにしました。選択性に富んだ問題解決方法を考えるにあたって、特に仲間としての関係を構築するのに困難を抱える者にとっては、学齢期にアイスブレイクを学習に導入し、楽しみながら協力する姿勢を身につけることが重要であるとされます。私は、ゼミや授業の前半で数分間のアイスブレイクを取り入れています。

レクレーション研究によれば、アイスブレイクのおもな要素は次の3つです。

①自己紹介（オープンな自己開示）
②他者認知（他者への関心の喚起）
③共同作業（チームワークの形成）

以下では、実際に私のゼミやワークショップなどで取り入れているアイスブレイクを紹介します。

「じつは……○○です」
～自己紹介のアイスブレイク

自己紹介の最初に「じつは……」で始まるフレーズを入れて話します。「じつは」をつけることで意外な趣味や性格を伝えることになるため、自己紹介が印象的になり、聞いた人はその人のことを深く知ったような気分になります。アイスブレイクが終わった後も「毎日10kmジョギングしている岡田さん」というように、相手のことをしっかり覚えることができます。また、自分から情報を開示する練習にもなります。

- 人数：2～10人
- 時間：約10～30分

▶ 1　1人ずつ「じつは」をつけて自己紹介をする

▶ 2　聞いた人は驚いたり質問をするなど、できるだけリアクションする

▶ 3　自己紹介が終わったら、気になった話題についてさらに深く質問する

「いつ、どこで、だれが、なにをした」
～他者認知のアイスブレイク

「いつ」「どこで」「だれが」「何をした」をそれぞれ紙に書き、一度シャッフルしてから1つずつ選んで文章をつなげる、言葉遊び的なアクティビ

ティです。チームのほかのメンバーがどんなことを書くのか予想したり、おもしろい単語や意外な組み合わせを楽しみながらコミュニケーションがとれます。

■ 人数：4〜6人
■ 時間：30分〜1時間

▶ **1 用意した紙に、「いつ」「どこで」「だれが」「何をした」を書く**

1人がどれか1つのお題を担当してもいいですし、1人ずつそれぞれのお題を書いてもかまいません。

▶ **2 それぞれのお題ごとに集めてシャッフルする**

▶ **3 1つのお題から1枚ずつ紙を選び、順番に開ける**

▶ **4 できあがった言葉をつなげて話し合う**

共通点グランドスラム
〜共同作業のアイスブレイク

グループで共通点を探すアクティビティです。1人しか当てはまらないことから、全員が当てはまることまでさまざまなものがありますが、全員参加が必須なので、チームワークが養われます。グループごとにそれぞれ独自の方法を見つけて、ファシリテーターとなる人を決めたりするなど、グループの様子を観察しておくと、その後の関わりに活かすことができます。

■ 人数：1グループ4〜6人
■ 時間：30分程度
■ 物品：A4サイズの白紙、筆記用具（マーカー）

図のような用紙をもとに、グループメンバーで情報を出し合いながら共通点を探し、見つかったものから紙に書き出していきます。共通点の探し方はグループのやり方にまかせます（ファシリテーターの選出など）。

メンバーが6人の場合、共通点が6人全員なら6点、1人なら1点とつけます。人数が多くなるほど、共通点探しが難しくなります。

ファシリテーターは、まず「すべての人数での共通点を見つける」ことを促します。共通点が複数見つかった場合、1つに絞り込む必要はありません。

［共通点グランドスラムの用紙］

人数	内容	点数
1人		
2人		
3人		
4人		
5人		
6人		
	合計点数	

出典：https://www.ryoushuukan.com/common-point-grand-slam/

共通点グランドスラムは、見つかった共通点の数を競う、グループ対抗形式にすることもできます。その場合、制限時間を長く設けて、できるだけたくさん共通点を探すようにします。

アイスブレイクで取り入れるべき点、避けるべき点

アイスブレイクを効果的にするために、下記のような取り入れるべき点と、避けるべき点があります。これらをふまえて、アイスブレイクを実施してください。

▶ 取り入れるべき点

- だれでもやさしく回答できるもの
- 趣味、スポーツ、嗜好など共通に話し合える身近なもの
- 笑いやユーモアを誘うもの

▶ 避けるべき点

- 相手を批判したり、傷つけたり、劣等感を感じさせるようなもの
- 政治や宗教、セールスに関するもの
- 個人の容貌や身体に関するもの

COLUMN

ワラスの「思考の四段階」をアイスブレイクに取り入れる

思考における創造性を高めるためには、アイスブレイクを通じて考える過程でどのようにしたらいいのかも大切になってきます。

アメリカの心理学者ワラスは、創造的なアイデアを発想する際の思考プロセスには「準備→孵化（あたため）期→啓示（ひらめき）期→検証期」の四段階があるとしています。私は授業でアイスブレイクをする際に、この思考の四段階を実践しています。

1　準備（preparation）

アイスブレイクしたい課題について、あらゆる面から情報を出し合います。自らの知識や技術、過去の体験などを通して、多角的な視点で考えたり、新しい着想を模索するなど、いろいろ話し合います。

2　孵化＝あたため（incubation）

熱心な話し合いでアイデアが煮詰まったり、行き詰まりを感じてきたら、一見問題とは無関係なことをしたり、気分転換や気晴らしをします。この段階では、課題についてあまり意識を働かせずに、自然とひらめきが浮かんでくるのを待ちます。

3　啓示＝ひらめき（illumination）

孵化の状態でいると、前触れもなく、独創的な解決法を思いつきます。無意識的思考の関与が大きく、夢などからヒントが与えられることも多いです。

4　検証（verification）

ひらめきを得たアイデアを持ち出し、実際に有効なものとして通用するかどうかを課題に当てはめて、冷静に検証し、発表します。

問題を発見し、明確化する

日本の学校では、試験や課題に対する問題解決の方法については学習することが多い一方、問題発見のための力を育成することはほとんどありません。問題解決の方法はITとコンピュータの進化に伴って年々効率化されていますが、問題発見の能力は依然自分で高めていく必要があります。学生の間は教師が問題を与えてくれますが、社会に出ると自分で問題を見つけなければいけません。

ただ、問題は常に「問題」の姿をしているとは限らず、すぐには見えなかったり、隠れていたりします。また、目の前にある「問題」と思われる状況を片っ端に対処していくだけでは、“もぐらたたき”型の問題解決になってしまいます。本質から外れてしまっていることを「問題」として捉えてしまうと、解決法も同じように不適切なものになってしまい、結局何も解決できないままになってしまったり、最悪の場合、別の問題が生じてしまうこともありえるのです。

問題発見を妨げる5つの要因

私たちが問題を「問題」として認識するのは、「理想的な状態」に「現実」が至っていないためです。私たちは、問題となるとつい「今、目の前で生じていること」だけに着目してしまいがちですが、そもそも「理想の状態」に無関心であれば、「問題」を感じることはなく、問題の「発見」、ひいては「解決」にも考えが及ばなくなります。

「問題意識」は、以下のような諸要因によって妨げられてしまうとされます。

- 現状に満足、従来のやり方に慣れてしまっている
- 環境の変化に気づかない
- 明確な目標がない
- 言われたこと以外のことをしない
- 同じ問題を何度も繰り返してしまう

これらの各要因に対して、教育学では次のような要素が問題意識を高めるとされています。

- 向上心（現状に満足しない）
- 注意力（環境・状況をよく観察する）
- 使命感（自ら目標を設定し、責任をもってやり遂げる）
- 好奇心（さまざまなことに興味を持つ）
- 防止力（失敗などをくり返さない心がまえを持つ）

自分の中に「問題発見を妨げる要因」があるかを確認し、もしあったとすればそれに応じた「問題意識を高めるための要素」を日頃から意識して行動することが大事です。

特にやりやすいのが、日常から自然に湧いてくる感情である「不満」を利用することです。私たちは何か「不満」が生じると、心は無意識に「解決しよう」とします。

5つの自問で問題を明確化する

問題意識が湧いてきたら、次は「その問題はどのようなものだろう？」と自問することです。なぜなら、表面的に問題に見えることが、真の問題でないことは多く、本当の意味での問題発見、問題解決にならないかもしれないからです。

問題と思われることが見つかったら、以下の5つの質問を自分自身にしてみましょう。

①具体的には？（あいまいな状況を明らかにする）
②理想は？（問題が解決されている状況を想定する）
③そもそもは？（問題の根源を考える）
④ひとことで言うと？（問題の本質をシンプルにする）
⑤なぜそう言えるのか？（なぜ問題なのか、理想とする状況は正しいのかを検討する）

「ダイエットが必要」という問題を明確化してみよう

「ダイエットが必要」という問題を、5つの自問で明確化してみましょう。

▶ 1 あいまいな状況を明らかにする

【例】モテたいけどポッチャリしているからダイエットが必要だと考えている。

▶ 2 問題が解決されている状況を想定する

【例】スラっとした体形になってモテる。

▶ 3 問題の根源を考える

【例】スラっとした体形になってもモテない可能性がある。

▶ 4 問題の本質をシンプルにする

【例】ポッチャリしたままでもモテたい（ダイエットしたくない）。

▶ 5 なぜ問題なのか、理想とする状況は正しいのかを検討する

【例】ポッチャリ型の人が好みの異性を好きになれば、ダイエットしなくていい。

この例の場合、根本的な不満は「異性にモテない」ことなのです。問題をきちんと見つけられないと「足が捻挫して痛いのに、胃腸薬を飲んでしまう」といったことが起こってしまいます。

身のまわりに1つも不満（問題）が見つけられない場合は、危険信号です。逆にたくさん不満が見つかる場合は、「それは本当に問題なのか？」をもう一度よく考えてみましょう。

COLUMN

問題の3つの型

リスクマネジメントなどの研究によると、問題は次の3つの型に分類されます。

- 発生型：すでに発生してしまっている問題
- 潜在型：今後発生しうるであろう問題
- 設定型：理想や未達成の目標に近づけるために設定した問題

問題は「いま目に見えている・経験している」ものだけとは限りません。問題の視野を広く捉え、問題には潜在型や設定型が存在すること、また常に「目標が達成された状態」に照らして考えるべき事柄であることを認識しておきましょう。そうすることによって、問題発見力も向上します。

ジレンマ思考法で答えのない問題にねばり強くとり組む

イギリス人「考えた後で走る」
フランス人「考えながら走る」
スペイン人「走った後で考える」

これは西洋の古いことわざで、国民性と思考の仕方を表しています。
では、日本人はどうでしょうか？

「だれかの指示を受けないと走れない」

……あくまでも「ステレオタイプ」（単なるイメージ）ですが、雑談やスピーチの冒頭などで笑いを誘うユーモアとしてよく使われます。

一般に日本人は「受験型思考」であるといわれています。学校の試験や入試では必ず「答え」があり、そこで必要とされる能力は「決められた時間内に答えにたどりつく」ことです。よって、「答えがわからない」ことはその人の「努力・能力不足」が原因とされ、ひいては「恥ずかしい」ことであるという考えにつながってしまいます。ですので、日本人は「正解がないと不安になる」「まちがえると恥になるので人前で意見が言えない」という状態になりやすいという考えが出てくるのです。

一方で、21世紀に入ってから世の中にはデータが溢れかえり、デジタル技術やインターネットは急速に進化しています。多くの国々は、これまでに経験したことのない未曾有の変化にさらされています。こうした時代には、「答えがある」ことを前提に考えるのではなく、「どのような未来になりうるのか？」という「正解がない」問題をどのように考え、解決していくかが求められます。

数ある答えのない問題に対する思考法の1つが、「ジレンマ思考法」です。

日本では「前門の虎、後門の狼」という言葉が象徴的です。「前に進めば虎と出会い、後ろに退けば狼と出会う」それでも「前に進むか後ろに退くかしかない」とすれば「いずれにしても恐ろしい結果となる」というような状況です。このように、2つの相反する事柄の板挟みになることを「ジレンマ」といいます。こうしたジレンマの状況を論理立てて考え、答えを導き出すことを「ジレンマ思考法」と呼びます。ジレンマ思考を養うことで、実社会に見られる原発問題や環境問題に取り組む姿勢ができますし、裁判員に選ばれた場合などに的確な判断を下すのにも役立ちます。

答えのない問いの4つの種類

ジレンマ思考は、特に道徳（モラル）に関する学習方法に取り入れられていて、モラルジレンマ授業に関心が集まっています。モラルジレンマの学習法は、アメリカの道徳心理学者であるコールバーグによって発案され、世界各国の教育現場で導入されています。

モラルジレンマの特徴は、物語（実話もある）において2つの道徳的価値が対立するように描かれていることです。たとえば、「1人の生命と多数の生命のどちらが大切か」などの対立が題材として使われ、私たちを認知的不均衡（どっちつかずでスッキリしないモヤモヤした状態）に追いやります。私たちは、こういったバランスの取れていない状態を不快に感じて、なんとかバランスが取れるように考えようとします。この不均衡から均衡へという頭の中の状態が、答えのない問題に取り組むための思考的成長であり、発達であるとされます。

モラルジレンマが扱う題材には以下のような「問い」が含まれていて、さらに深い思考につながるとされています。

▶ 1 他者の立場で物事を捉える問い

「Aの立場であればこう考えるけど、それを知ったBはどのように考えるだろう？」

こういった問いで、さまざまな立場から物事を捉えます。

▶ 2 行為の結果を推測する問い

「もし〜したならば、どうなるだろう？」

こういった形で、人が何かをしてしまった結果、つまり何かを判断して実行した場合、その結果としてどんなことが生じるのか想像させていく問いです。

▶ 3 認知的不均衡を促す問い

「横断歩道で交通事故に遭いそうな人を助けようとする時でさえ、信号は守らなければならないのか」

など、常識に働きかけていく問いです。認知的不均衡（もやもやした気分）はジレンマ思考のすべての問いに通じるのですが、とりわけその人の主張とは逆の立場のことをあえて発問したり、「そもそもどういうことなのか」を問いかけたりするものです。

▶ 4 道徳的判断を求める問い

「あなたはどうするべきだと思いますか」

といった形で、是非が分かれる問題への判断がいついかなる時でも一貫性を持つかを問います。

モラルジレンマの授業は、以上のような問いで人の思考に揺さぶりをかけていきます。そうすると、人はなんとかしてスッキリとしたいので、「どちらかを選ぶ」という二者択一ではなく、「第三の道」を探し始めます。つまり、答えのない問題にみんなが納得するようなアイデアをなんとかして考え始めるのです。

もちろん、現実生活の中では、どのようにしても両方を一度に解決できない問題が存在します。大事なのは、答えを見つけることではなく、「考え抜いていくこと」です。

「トロッコ問題」による思考実験

モラルジレンマを用いて答えのない問題について考え、議論する講義で人気を博しているのが、ハーバード大学のマイケル・サンデル教授です。サンデル教授の大学での一般公開講義には数万人が押し寄せ、その講義の内容を著書とした『これからの「正義」の話をしよう』（早川書房）は世界各国で大ベストセラーになっています。

具体例としてよく挙げられるのが「トロッコ問題」です。これはイギリスの哲学者フィリッパ・フットが考案した思考実験で、私もこの問題を以下のように少しアレンジしてゼミの授業で学生に質問しています。

> 「あなたはトロッコを分岐点でしかるべき方向へ進ませる仕事に従事しています。その日、あなたはトロッコをA地点に進ませることになっています。
>
> ですが、その日あなたはブレーキの効かない暴走したトロッコが走ってくるのが見えました。A地点に向かう線路の先には、5人の作業員がいます。そのまま進むと、5人の作業員はまちがいなく犠牲になります。
>
> その時あなたは、事故を避けるために分岐点でトロッコの進路を変更し、B地点へ進める方法を考えました。しかし、その先には1人作業員がいます。
>
> トロッコの進路を変更すれば5人は助かりますが、変更した先の1人が犠牲になります。
>
> あなたはトロッコをAとBのどちらの地点に進めますか？」

このジレンマは、簡潔にいえば「5人を助けるために1人を犠牲にしてもいいのか？」ということです。「1人を犠牲にして5人を助けるべきだ」という考えもありえますし、「もともと自分に与えられていた職務を全うすることが大切で、それ以外のことは正しい行為ではない」という結論も考えられるでしょう。この思考実験からは、人間のモラルが「正」と「誤」だけで判断できず、いかに複雑かがわかります。

このトロッコ問題は、次の3つのステップに沿って考えると、正義に対する道徳心の「揺れ」を感じると思われます。

①「正義」を数で決められるのか？
②状況や手段によって「正義」は変わるのか？
③対象がだれかによって「正義」は変わるのか？

▶ 1 「正義」を数で決められるのか？

ゼミの学生にAとBのどちらへ進むかと質問すると、おおよそ8割の学生が「5人を救うために電車の進路を変える」ことを選び、それが倫理的に「正しい」と答えます。

一方、いつも少数ではありますが、「自分の仕事の義務を守れ！」と考え、多くの人を救うためであってもその手段として人を殺すのは「正しくない」と答える学生も必ずいます。

この段階では、「正義」は人命の多い・少ないという「数」が基準となって決定されます。

▶ 2 状況や手段によって「正義」は変わるのか？

そこで議論を進め、学生に次のように質問します。

Aを選んだ場合：「助かった5人のうちのだれかが自分の身内だったらどうしますか？」
Bを選んだ場合：「もし犠牲になる1人があなたの身内だったらどうしますか？」

こうした質問を投げかけると、たいていの学生は自分が最初に選んだほうに対してモラルジレンマを感じます。特にBに関して、犠牲になる人が「恋人」と想定した学生は、この時点でたいていAに変更してしまいます。

ここで、「正義」は数ではなく、「自分にとって大切かどうか」が基準となってきます。

▶ 3 対象がだれかによって「正義」は変わるのか？

3ステップ目のキーワードは「利他主義」です。それは「他者の利益のために行動する」という考えであって、「常に他者を助ける」ことが正義とされるので、自分や身内が犠牲になる場合も含めて、相手がだれかによって区別せずに助けなくてはなりません。

ここで、それでもBを選択する（身内の犠牲を厭わない）学生に最後の質問をします。

「もしAにいる5人があなたの敵だったらどうしますか？」

さあ、ここまでくるともう「究極の選択」になりますね。

ちなみに、哲学者のニーチェの考え方では、こうした状況での「利他主義」は「健全ではない」とされています。いくら他者のためであっても、かけがえのない人が犠牲になってしまうのなら、5人を犠牲にしてでもその人を救おうとするほうが健全であるとされます。

あなたなら、このジレンマをどのように考えますか？

サンデル教授がどのような結論を下しているかは、『これからの「正義」の話をしよう』（早川書房）の第1章（41ページ）に記されているので、気になったら確認してみてください。

このように、モラルジレンマの教材には、答えのない問題を深く考え、時には葛藤を直視し、耐える思考を育てるための題材がほかにもたくさんあります。以下の話を友達や同僚といっしょに読んで、納得いくまで話し合ってみてください（答えはありません）。

「おみやげにいただいたケーキ」
（公平とは何か）

家族みんなの憧れのお店のショートケーキを6個おみやげにいただいたとしましょう。等分に分けないと喧嘩になりそうな気配ですが、うまく等分することはできそうにありません。家族は、自分を含めて5人です。さて、どうしますか？

1人だけが1個余分に食べられますが、1個余分に食べられる権利を持った人はだれもいません。

だれが1個多く食べることを認めますか？

その場合、みんなが納得する公平な理由とはどのようなものでしょうか？

「犬がいなくなる日」（集団の一員としての自覚 vs. 生命の尊重）

太平洋戦争当時の日本では、次のような考えが背景にありました。

「日本は戦争に負けるわけがない」
「犬を飼うのは贅沢なこと」
「大も軍用犬として出征するのは当然」
「非国民扱いされることが何より怖い」

そうした状況で、自分が飼う家族同然の犬を供出（軍に提供する）させるよう指示が出されたら、どうしますか？

COLUMN

功利主義と義務論

人工知能がまだ誕生する時代の前からある哲学・思想における命題には、現代でも考えなければならないものがあります。「人生とは」など答えがないものに対して、だれもが納得できるような示唆を考え続けることが哲学の目的です。

哲学には、道徳的な正しさの基準として「功利主義」と「義務論」という考え方があります。

功利主義は、なんらかの行為が人々に与える結果を重視する立場であって、「最大多数の最大幸福」が重視されます。代表的な論者には、哲学者のベンサムやミルが挙げられます。

それに対して「義務論」は、行為が人々に与える結果の善し悪しにかかわらず、与えられた仕事など、守るべき義務や倫理原則があるという考え方です。哲学者のカントがこの立場です。

連想法でアイデアをつなげて思考を広げる

私は大学で20年以上にわたって「スピーチコミュニケーション」という授業を開いています。「授賞式」や「立候補」などさまざまなシチュエーションを設定し、留学生には日本語で、日本人学生には英語でスピーチをしてもらい、言葉の選び方や表現の工夫の大切さなどを指導します。

留学生にスピーチを教えていて改めて気づくことは、日本語は「想像」や「連想」が前提となっている言語であるということです。英語は文化背景の異なる人ともすぐにコミュニケーションがとれるよう、可能な限り率直かつ合理的に伝えることを基本としていますが、日本語はその対極にあります。日本語のスピーチでは、情景描写がそのまま心情描写となったり、その心情が前提となって話が組み立てられたりします。つまり、話し手と聞き手は互いに心情を慮り、そこからあれこれ連想することで理解や感動が生まれるのです。

「連想」は、ある物事から別の物事を思い浮かべることで、私たちが日常会話の中で絶えずおこなっている思考の一種です。どのような学習や仕事をしていたとしても、新しいアイデアを考える際にはなくてはならないものです。今ではあたりまえのものですが、電話とカメラを融合させたスマートフォンの発明など、時には突拍子もない連想の中から新しいアイデアにたどりつく事例が多々あります。

連想の型を利用する

心理学によると、連想には大きく2種類のやり方があるとされます。

- 惑星型（1つの単語から連想されるたくさんの単語を思い浮かべる）
- いもづる型（1つの単語からスタートして、次から次へと連想をつなげていく）

前者の代表例が「マンダラート」です。マンダラートは3×3の9マスを利用した連想法で、経営研究家の松村寧雄氏により考案されたものです。名前は、仏教に登場する曼荼羅模様に由来します。それぞれの大きなマスの中央に書かれた要素を細分化していくという作業ルールを設けることにより、思考を広く深く進めていくことができるとされます。学習、スポーツなどの分野だけでなく、会議、シンポジウムなどの問題解決や新しいアイデアの創造を円滑に進める連想法として活用されています。

[「本を出版する」アイデアをマンダラートで出してみると]

テレビを見る時間を減らす	夕食後に1時間執筆する	テーマを考える
考えをすぐにスマホにメモする	本を書く	ベストセラーのトレンドを調べる
出版講座に参加する	メディアに取り上げられる	10万部をめざす

後者の代表例が「自由連想法」です。意識した状態で発する言葉ではなく、無意識下で何気なく心に浮かんだ感情や事柄を言葉に発するよう促す技法で、精神分析学のフロイトによって考案されました。心の病の原因を追求するときなどに取り入れられています。

私はゼミでは、学生の連想力を鍛えるために、おもに3つのアクティビティを取り入れています。

いもづる式連想法

1つの言葉から関連するものを次から次に自由に発想し、いもづるのようにつなげていくやり方です。
たとえば、「麺」からスタートして連想すると、次のような言葉の連鎖ができます。

麺⇒ラーメン⇒昼食⇒買物⇒財布⇒すり⇒電車⇒○○

隣り合わせた単語はある程度関係があっても、離れた単語はまったく関連性のないものになっていきます。

謎かけ連想法

「笑点」などのテレビ番組で、「〜とかけて〜ととく。その心は〜」という「謎かけ」を見かけることがあります。心理学では、「なぞなぞ」の前提を伝えて、相手の期待を高めておき、それを一気に解消させることで、おかしさを感じさせ、連想力を上げる効果があるとされます。

「パソコンとかけて、ディズニーランドととく」
「その心は⁉」
「どちらも、マウスが活躍します」

ダジャレ連想法

教育学では、telic mode（真面目な心境）からparatelic mode（遊び心）に切り替え、学習の雰囲気を和ませるためのスキルについて研究されています。具体的には、ユーモアや語呂合わせ、ダジャレなどが効果的であるとされ、学校教育で取り入れられています。具体的な方法は以下のとおりです。

▶ 同音異義語や音の類似性を利用する

聞き手の予想とは違うことを話します。

「向かいの空き地に囲いができたね？」
「へー」

▶表現を少しだけずらす
みんながよく知っているフレーズなどを少し変えます。

「秋深き　隣は　マスクする人ぞ」
（「秋深き　隣は　何をする人ぞ」という松尾芭蕉の句を元に）

▶音のリズムを活用する
意味のない不整合性で関心を引きます。

「おどろ木　桃の木　山椒の木」
「結構毛だらけ　猫灰だらけ」

相手に攻撃的な内容のジョークやユーモアを投げかけるものもありますが、多用するとハラスメントになるので注意が必要です。

開いた輪の連想法 ～発想が「閉じた輪」にならないようにするには

自由に発想し、発想が広がっていくことを目的していても、同じテーマからなかなか抜け出せなくなってしまうこともあります。たとえば、以下は連想が「食べ物」から抜け出せず、最終的に元のジャガイモに戻ってしまったケースです。

ジャガイモ⇒肉じゃが⇒すき焼き⇒牛肉⇒牛丼⇒昼飯⇒カレーライス⇒ジャガイモ

よくあることですが、原因は発想が「閉じた輪」の中で繰り返されるためです。
こうした場合は、意識的にシチュエーションを変えたり、物の見方を変えることが大切になってきます。そのための手法として、ゴールをあらかじめ設定した連想トレーニングがあります。たとえば、以下のように「単語A」からいくつかの連想をして、ほとんど無関係な「単語B」にたどりつくことをゴールにするといったものです。

単語A⇒○○⇒○○⇒○○⇒○○⇒単語B

できるだけ少ない（または多い）連想回数でゴールするのがいいわけではありません。まずは、間に入る単語を5～10程度にしてみましょう。

たとえば、スタートが「パソコン」、ゴールは「花粉症」とします。

パソコン⇒配線⇒電線⇒鉄塔⇒山⇒杉⇒花粉症

普通「パソコン」という言葉からひと足飛びには「花粉症」という発想に至らないと思いますが、このように連想をくり返すうちに、何らかの関連が見い出されます。慣れてくると、3～4回の連想で到達できるようになります。連想がスムーズにいったら、とてもすっきりした気分になります。

ゴールを設定して連想トレーニングをしてみよう

ことわざなどだれもがよく知っているフレーズを使って、ゴールを設定した連想のトレーニングをしてみましょう。

- 人数 ⇒ 1～3名
- 所要時間 ⇒ 1問につき3分以内目安

▶猫に小判

自由な連想で「猫」から「小判」に到達してください。

まずは制限時間やゴールまでの言葉数は気にせず、自由に連想してください。慣れてきたら制限時間を区切り、言葉もできるだけ少ない数でゴールするようにしてください。ただし、同じ単語は使ってはいけません。

以下、2つ例を挙げます。

「猫」⇒「ネズミ」⇒「壁穴」⇒「蔵」⇒「お宝」⇒「小判」
「猫」⇒「ペルシャ」⇒「アラジン」⇒「金銀財宝」⇒「小判」

ほかにも、以下のことわざを使って連想してみましょう。

「豚」⇒「　　」⇒「　　」⇒「　　」⇒「　　」⇒「真珠」
「馬」⇒「　　」⇒「　　」⇒「　　」⇒「　　」⇒「念仏」
「二階」⇒「　　」⇒「　　」⇒「　　」⇒「　　」⇒「目薬」

▶歴史知識

慣れてきたら、こうした連想の仕方を、歴史のテストや資格試験などに必要な知識などを暗記する時に使いましょう。記憶した人物や事柄に関連する知識やキーワードをイメージにして連想すると、記憶に残ります。その場合は、隣り合うキーワードを関連づけて発想しましょう。以下、例です。

「旅」⇒「街道」⇒「景色」⇒「富士山」⇒「浮世絵」⇒「葛飾北斎」

連想を働かせて、次の問題も考えてみてください。

スタート「タヌキ」⇒「　　」⇒「　　」⇒「　　」⇒「徳川家康」

似たような単語が3個以上続いていたら、その問題をあとでやり直してみてください。時間がかかりすぎた場合は、脳の集中力とリラックス度が足りないことが考えられるので、休むようにしましょう。

連想トレーニングは自分で題目を自由に作れますし、通勤・通学時間やお風呂やベッドの中でもできるので、ぜひ試してみてください。

継続して実行する場合は、思いついた単語とかかった時間を記録しておくといいでしょう。記録をつけることで、どれぐらいの連想力がついたかがわかります。

COLUMN

プライミング効果：連想のメカニズムを応用する

心理学者のジョン・バルフ氏は、あらかじめ受けた刺激・情報（プライマー）によって、無意識のうちに瞬時的に思考や行動が影響を受けるとしました。この心理効果を「プライミング効果」といいます。

これは、1つの刺激が別の考えを連想させるという、人間心理がもつ性質ともいえます。たとえば、テレビでコーラのCMを見たら「いつもは飲まないのに、なぜかコーラを買いたくなってきた」ということはないでしょうか。子どものときによく遊んだ「10回クイズ」にも、プライミング効果はよく現れます。相手に「シャンデリア」と10回言ってもらった後に「毒りんごを食べて死んでしまった姫様は？」と聞くと、相手はたいてい「シンデレラ」と答えてしまいます（正解は「白雪姫」）。

ある情報によって特定の概念が活性化させられ、関連する情報を連想しやすくなるという心理的特性は、仕事や勉強へのモチベーションの維持につなげる効果が認められており、経営学や教育学などの分野で応用されています。

ポモドーロテクニックで最大限の生産性と効率性を引き出す

「明日までに3冊の本を読まなくてはならない」
「資料の提出までもう時間がない」

決められた日時までにやらなければならないことがあるのに、「集中できない」「ほかのことに気を取られてしまう」という焦りや苛立ちに邪魔されて思考が停止してしまうことは、だれもが一度は経験していると思います。そういう時は、やみくもに努力しようとするのではなく、脳をしっかり休める必要があります。

休息が生産性を上げる

勉強や仕事中に何もしないでただボッーとしていると、「だらけている」「時間がもったいない」などと思われてしまいます。ところが、近年の脳科学の研究結果を見ると、「適度にボーッとする」ことがいかに重要であるのかがわかります。

▶ ウルトラディアン・リズム：90分ごとに、脳の活動レベルは休息を必要とする水準まで下がってしまう

イスラエルの脳科学者ラビー教授は、睡眠中に浅い眠りと深い眠りがあるのと同様に、日中の活動時にも集中と非集中のサイクルが交互に出現すること（ウルトラディアン・リズム）があることを発見しました。ラビー教授は、人の日中の集中／非集中のサイクルの周期はおよそ90分であるとしています。つまり、90分ごとに脳の活動レベルは休息を必要とする水準まで下がってしまうため、適宜休息をとる必要性があるということです。

▶ クールダウン：頭に知識や情報を詰め込むばかりではダメ

人は学習時に、脳の中のニューロン（神経細胞）同士のつながりが強まり、思考活動が活発になります。ですが、神経細胞の数には限りがあるため、頭に知識や情報を詰め込むばかりではオーバーヒートして飽和状態になってしまい、それ以上記憶することができなくなるとされます。そのため、学習や仕事には「クールダウン」が必要とされています。クールダウンとは、激しい運動の後に休息して体の調子を整えることや、「冷静になること」または「頭を冷やす」を意味します。

脳神経学の分野では、学習や記憶には脳の「海馬」という領域が深くかかわるとされています。東京大学の池谷裕二教授は、学習している中学生の脳のガンマ波を測定し、適度な間隔で休憩を挟みながら勉強することで集中力が回復することを発見しました。また、休憩を伴う「短時間学習」が長期的な記憶の固定にも効果を発揮していることがわかりました。

「作業25分＋休息5分」を1セットとして考える

長時間にわたる作業が見込まれている時は、「どれぐらい集中すべきか」そして「休憩はどんなタイミングでとるべきなのか」が大切になってきます。そういった時間配分について指針となるのが、「ポモドーロテクニック」です。これはイタリアのコンサルタント、フランチェスコ・シリロによって考案された方法で、ポモドーロとはイタリア語で「トマト」のことです。シリロが学生時代に、トマト型のキッチンタイマーをセットし、時間を区切って試験勉強をした経験がもとになっています。タイマーさえあればかんたんに実行できます。

シリロは、持続可能な集中時間と休憩時間の回数などを分析し、人にとって最大限の生産性と効率性を引き出せる時間が「作業25分＋休息5分」であると結論づけました。この「25分＋5分」の1セットを、「1ポモドーロ」とします。

4ポモドーロをこなしたら、15分～30分の長い休憩をとるようにします。そして、このサイクルを1日に数回繰り返せば、作業を効率よく進めることができます。

ポモドーロテクニックの4つの効果

ポモドーロテクニックには、4つの効果があるとされています。

▶ 1 集中時間の定着

25分という時間が決められているので、その間中ずっとほかのことを考えないで作業に集中する習慣が身につきます。

▶ 2 時間に対する不安の解消

作業時間に終わりがないと、「やり続けなければならない」という不安やプレッシャーが生じます。「25分間」という時間を設定することで、前向きな気持ちに切り替わります。

▶ 3 休息ダレの防止

休息時間が長すぎると、かえってダラけてしまいます。休息も「5分間」と決まっているので、またすぐ作業に入る気持ちに戻ります。

▶ 4 時間内のキャパシティの把握

ポモドーロテクニックの習慣が身につくと、自分が一度にこなせる作業量や作業にかかる時間の目処がわかってきます。「25分間で報告書1枚」というように自分の処理能力を把握しておけば、さまざまな作業で目途が立てやすくなります。

ポモドーロテクニックを実践してみよう

以下の5つのステップに沿って、ポモドーロテクニックを練習してください。

①実行するタスクを決める（例：報告書を作成する）
②タイマーを25分に設定する

③タイマーが鳴るまでタスクをおこなう
④5分間の休憩を取る
⑤ポモドーロを4回こなした後に、長い休憩（20〜30分）を取る

コツとしては、まず必ずタイマーを使用することです。携帯のアプリにもあるので、ぜひ試してみてください。

休息時には「まったくなにもしない」ようにすることも大事です。その時間帯に別の作業をしたり、あれこれ考えたりすると、脳が休む時間をとれず、疲労してしまいます。深呼吸する、瞑想する、お茶を飲むなど、仕事とはまったく関係ないことをして、脳を休ませてください。私の場合は、ヨガ教室で学んだ瞑想をするようにしています。

電話や来客などで、やむをえず作業を中止することがあります（「外的中断」と呼ばれます）。また、「メールをチェックしなければならない」「だれかに連絡する必要を急に思い出した」など、自分の意思で止めてしまうこともあるでしょう（「内的中断」と呼ばれます）。こういった中断があると、ポモドーロの効果がなくなってしまいます。シリロは、特に「内的中断」には注意しなければならないとしています。なぜなら、心に焦りや不安をもったままで作業を進めようとすれば、気が散ってしまい、今やっていることを先延ばしする原因につながってしまうからです。

COLUMN

休息にはなにをすればいいのか

休憩にどのようなことをするのかについては、さまざまな研究がされています。

立って歩く

肉体労働を除くと、大半の人は勉強や仕事をする時は「座りながら」取り組んでいるでしょう。米カリフォルニア大学ロサンゼルス校のシッダー氏らは、幅広い年齢層の男女を対象とした調査によって、「座りすぎ」が記憶形成に悪影響を及ぼしていることを明らかにしました。1時間に5分程度歩き回るだけで、副交感神経が優位になり、脳にリラックス効果がもたらされるとされます。

水分補給

米コネチカット大学のアームストロング博士らは、身体の水分不足が原因で集中力やモチベーションが減退する可能性を指摘しています。対策として、学習に集中する前に「0.5リットルの水分補給」が作業効率を高めることが明らかにされています。喉が乾いている自覚がなくても、身体からは常に水分が失われ続けているので、休憩時はこまめな水分補給を心がけることが大切です。

瞑想

最近では瞑想によって思考や意思決定などを担う脳の部分が活性化され、ストレスホルモンが抑制されるといった効果が実証されています。リラックスした姿勢で、呼吸に意識を集中させ、ゆっくりと深く息を吸ったり吐いたりするようにします。頭に何か考えごとが出てきたとしても、その状況を慌てずに受け入れ、意識をゆっくりと呼吸へと戻し、繰り返すことで、安定した気持ちになるとされます。

4章
模倣する

ロールモデルに問いかけて理想に近づく

iPS細胞研究でノーベル賞を受賞した京都大学の山中伸弥教授、フィギュアスケート界の女王となった浅田真央選手など、世界の頂点に立つ人はいつも輝いていて、周囲から大きな尊敬を受けます。そうした人たちは憧れの的になると同時に、「どうやったらあのようになれるのだろうか」という学びの対象になります。

そういった人たちのことを「ロールモデル」といいます。英語でロール（role）は「役割」、モデル（model）は「手本・模範」なので、ロールモデルを直訳すれば「役割の手本」となります。ロールモデルを見つけることは、学びへのモチベーションを高め、かつ維持しながら、最終的な目標を達成することにつながります。

ロールモデルは成長過程の貴重な教科書

カナダ人の心理学者でスタンフォード大学の教授であるアルバート・バンデューラは、他者の行動を観察し、それを見て真似ることで学習が成立するという「モデリング理論」を提唱しました。モデリング理論を証明するためにバンデューラがおこなった「ボボ人形実験」はとても有名です。3～6歳の保育園児をおもちゃで溢れる部屋の中で遊ばせ、その前でいくつかのグループに分けて実験をしました。

- 大人が木づちで人形を叩く
- 大人が優しく人形に接する
- 大人が人形に対してひどいことを言うなど攻撃的な態度をとる

結果は明らかで、大人の攻撃的な行動を見た子どもたちは、そうでない場合に比べ、言動面での攻撃性が増したのです。

こうした実験を通じて、バンデューラは人が他者の言動を模倣して学ぶことには次の3つの基本的な形があることを示しました。

①生きた人間のふるまいの模範を通した学習
②言葉による説明を通じた学習
③本や映画の登場人物を想定した学習

ロールモデルは、人の成長過程の「教科書」といえるでしょう。

モデリングの過程では、ロールモデルと自分との間にある「理想と現実」の「ギャップ」をまず知って、それを埋めていくために努力することが重要になってきます。この「ギャップ」を埋めることを「できない」と思わず、学習モチベーションを生み出す糧にして習慣化することが、学びの大切な第一歩となります。

ロールモデルに学ぶための4つのステップ

音楽やスポーツなど何か学びたい役割やスキルがはっきりしている場合、各界のトップやスターがロールモデルとして選ばれやすいでしょう。では、ロールモデルがなかなか見つからない場合はどうすればいいのでしょうか。以下では、厚生労働省の資料「メンター制度導入・ロールモデル普及マニュアル」（以下）を参考にして、ロールモデルから学ぶ方法を4つのステップでご紹介します。

https://www.mhlw.go.jp/file/06-Seisakujouhou-11900000-Koyoukintoujidoukateikyoku/0000106269.pdf

▶ 1 獲得したい能力や、抱えている問題を洗い出す

まず、達成したいことや、獲得したいスキルなどを書き出します。どのようなロールモデルを選ぶのかは、到達したい目標によって変わります。ここでは、「英語のリスニング能力を伸ばしたい」という場合を例に考え

てみましょう。

【獲得したい能力】

■ 英語のリスニング能力を伸ばしたい

【抱えている問題】

■ クラブ活動を続けながら勉強できるか
■ 外国人と話すのが苦手
■ 子育てと仕事を両立できるか
■ モチベーションが持続しない

▶ 2 自分が目標とする行動やスキルを持っている人を探す

①で書いた能力をすでにもっている人、問題を克服した人を周囲で見つけましょう。

【例】

身近で英語のリスニング能力の高い人を探す
→留学経験がなくても聞き取りが上手な先輩などを探して相談する

▶ 3 ロールモデルの言動を分析する

ロールモデルを選んだら、その人が優れている理由や、課題をどのようにして克服したのかを分析します。行動を観察したり、話を聞いたりして、成果や能力に関わる特徴をリストアップしてみましょう。

【例】

■ 毎朝、ラジオの英語リスニング講座を聞く（クラブや仕事の時間と重ならないようにする）
■ 英語ネイティブの友人を作る（外国人との交流機会を増やして慣れる）
■ 子どもといっしょに英会話を学ぶ（子育ての時間を生かす）
■ モチベーションを高めるために自分にごほうびを与える（英語の資格試験に挑戦する）

▶ 4 ロールモデルの特徴を自分と照らし合わせながら実践する

ただ漠然とロールモデルを真似るのではなく、彼ら・彼女らが持っているポリシーや姿勢、それらを吸収するために自分がとるアクションを明確にするのがポイントです。

ロールモデルに話しかけて「理想」の状態をはっきりさせてみよう

ロールモデルに直接に会って話を聞いたり、実際に指導してもらうことができればいいのですが、相手が手の届かない「雲の上の存在」である場合はなかなかそういうわけにはいきません。遠い存在のロールモデルから、どのようにして学べばいいのでしょうか。

答えは、「ロールモデルの写真や動画に問いかけてみる」ことです。

「そんなのばかげている！」と思われるのではないでしょうか。もちろん、ロールモデルの写真に話しかけても何も答えてくれません。しかし、だれしもテレビでスポーツや歌番組を見ている時に、選手のプレーや歌手のパフォーマンスを真似したことがあるでしょう。選手はなにも語らず、教えてくれませんが、あなたは確実にロールモデルから何かを学ぼうとしています。

次のステップで、ロールモデルから学ぶことができます。

▶ 1 ロールモデルに向かって「どうしたら〇〇〇ができるようになるのか」と声に出して問いかける

自分の思いを声に出すことで、あなたの「理想」の状態が具体的にはっきりしてきます。「聞きたい・知りたい」がたくさん浮かんでくるでしょう。

【例】

「どのようにすればネイティブのように英会話ができるようになるか」

「発音は？　アクセントは？」

「どうやればリスニングができる？」

▶ 2 自分にできないことを受け入れる

次の段階では、今のあなたにとって「難しすぎる」「とうていできない」という不安や失望感が強く襲ってきます。それを素直に認めて受け入れましょう。こうした感情は、あなたが「現実」と「理想」のギャップをよく理解していることの裏返しです。

【例】

「LとRの発音ができない……」
「長いセンテンスが聞き取れない……」
「会話のテンポがつかめない……」
「相手の目を見て話せない……」

▶ 3「現在できること」「できる見込みがあること」「できそうにないこと」に分類する

①と②を比較しつつ、3つの観点で整理してみてください。

【現在できること】

- かんたんな単語なら話せる・聞ける
- 短いセンテンスなら聞き取れる

【できる見込みがあること】

- 単語数を増やして表現を豊かにする
- 子ども向けの歌や物語を聞いて内容を理解する

【できそうにないこと】

- 海外の大学で英語で授業を受ける
- 英検やTOEICで高得点をとる
- CNNのニュースを理解する

▶ 4「できる見込みのあること」から「短期的」に目標を設定して実際に取り組む

これがある程度達成できた時点で、難易度に応じて「中期的」そして「長期的」なスパンで取り組みましょう。

ここで大切なのは、「できそうなこと」の段階でつまずいてもかんたんにあきらめてしまわないことです。別の何かを学びたいと思っても同じ気分になってしまい、その後同じことを繰り返してしまう危険性があるためです。

学びたい事柄によって、習得までの難易度や期間が違っています。長い時間がかかると思われるものは、最低おおよそ「1年間」のスパンを目標に取り組んでみてください。学びで大切なことは、達成や結果だけではなく、そこに至る過程の中にもたくさんあります。初歩の段階でいきなり高難度のものに挑戦して挫折してしまっては、元も子もないでしょう。

最後に、ロールモデルに一歩でも近づいたら、自分をたくさんほめてください。これはとても大切なことです。よくがんばった自分にごほうびをあげることが、モチベーションアップにつながります。

COLUMN

「憧れの人」以外にロールモデルを見出してみる

もしあなたが学生なら、まわりも同じようなことを考えたり、行動したりして生活している人が多いでしょう。よって、新しい発想が生まれない、新しい行動に出られないという状況になりがちです。しかし、ロールモデルはいつも優れた人を選ぶ必要はありません（理想が高すぎるものちょっと大変ですしね）。じつは、ロールモデルは意外と身近にいます。

- 嫌いなタイプの人
- いつも反対の考え方をする人
- ライバル
- 子どもや高齢者
- 外国人や留学生
- 1つのことに優れた人

ほんの少し視点を変えただけで学び方が変化して、アイデアが生まれてスムーズにいくこともよくあります。

洋楽を使って楽しく外国語を身につける

私はアメリカとイギリスの大学院に進学し、自分の専門の研究をするために外国語を身につけてきたので、じつは語学の勉強そのものはそんなにはしていません。特に、英語の文献を読んだり、論文を書いたりするのは、海外留学をしてから始めたぐらいです。

私の場合、外国語を学ぶことが好き嫌いに関わらず、勉強しなければなりませんでした。ですが、語学学習で大切なことは、まず何か自分が好きなことを見つけることだと思います。私はピアノやギターの弾き語りが趣味で、いまでも機会があれば人前で披露することがあります。特に英語の洋楽が好きで、曲を練習する際にはシャドーイング（第2章も参照）をとり入れています。今思うと、こうした趣味が私の語学力を向上させたのだと思います。

語学の習得に洋楽が効果的な理由

実際、洋楽を英語学習の教材として活用している大学もあり、英語習得における洋楽の効果がさまざまな研究によって明らかにされています。

佐賀大学の研究者チームは、「大学生の英語リスニング能力におけるシャドーイングの効果：洋楽歌詞の活用を通して」という研究成果を発表しています。本研究によると、学習者が英語を勉強する前から親しんでいる洋楽は、単なるエンターテイメントとしてだけではなく、歌詞の聞きとりや、曲のテーマに反映される文化的・時代的な背景に関する異文化理解など、学習教材になりうる可能性が高いことを示しています。また、洋楽には日常の英会話では聞き取れない音の変化（母音が長くなる、語尾の子音が小さくなるなど）が含まれ、曲によってリズム、ピッチ、イントネーションが異なるため、聞き取りが難しくなる反面、慣れ親しむことで日常会話での発音やリスニングがかんたんに感じるようになるとされています。

ほかにも、洋楽を利用して語学を学ぶと、学習者の「動機づけ」「学習態度」に高い効果があることが挙げられます。第二言語習得の研究者であるマスグローブとガードナーの研究によれば、モチベーションには次の2種類があるとされます。

▶道具的モチベーション(instrumental motivation)

「テストに合格するため」「昇進・昇給のため」といった、学ぶこととは関わりのないゴールを達成するための「道具」としての動機。

▶統合的モチベーション(integrative motivation)

学ぶプロセスそのものが楽しみとなるような動機づけ。道具的なモチベーションよりも習得の助けになることが証明されている。

洋楽で外国語に親しむことは、統合的モチベーションの向上につながり、外国語に苦手意識がある人でも楽しみながら学べるでしょう。

洋楽をシャドーイングしてみよう

門田修平氏の『シャドーイング・音読と英語習得の科学』(コスモピア刊)で紹介されている洋楽を用いたシャドーイングを紹介します。次のステップで実践してみてください。

▶ 1 好きな洋楽を1つ選ぶ

とにかく「自分が楽しめる曲」を探すことです。できるだけ気持ちよく聞ける歌、歌える歌を選んでください。

もし特定の曲が見つからない場合は、ビートルズの曲から始めてみましょう。ビートルズの歌は曲調もゆったりしたものが多く、聞き取りやすいと思われます。以下が比較的聞き取りやすい曲です。

Love Me Do
Hello, Goodbye
Help!
Yesterday
Let It Be

▶ 2 歌詞を見ないで聞く

まずは歌詞を見ないで、歌だけを聞きます。聞きとれない部分があっても気にせず、音とリズムを10回程度繰り返し聞きましょう。

メロディを覚えてきたら、鼻歌でいっしょに合わせて、音階とリズムだけをつかむようにしてください。

▶ 3 歌詞を見ながら聞く

今度は歌詞を見ながら聞いて、聞きとれなかった部分の音と言葉を結びつけます。特に、単語と単語がつながって違う音に変わっている部分（リエゾン、リダクション）などを意識しながら、20回程度聞きましょう。

▶ 4 歌詞を見ながらいっしょに歌う

次は、歌詞を見ながらいっしょに歌ってみましょう。歌詞はあくまでも参考までに見て、音を聞こえるままに真似して歌ってください。

特に③で意識したリエゾン（単語をつなげて発音する）、リダクション（言葉の音を消す）などを中心に、聞き取れなかった部分や歌いにくい部分に集中して、繰り返し練習しましょう。回数は決めず、いっしょにスムーズに歌えるようになるまで繰り返し歌ってください。

▶ 5 歌詞を見ないでいっしょに歌う

最後に、歌詞を見ないで歌ってみましょう。苦手な箇所だけ繰り返し、マスターするまでゆっくり練習してください。

COLUMN

シャドーイングの効果と音韻符号化

シャドーイングの効果には、外国語理解に関する短期記憶が深く関わっていることが多くの研究者により指摘されています。認知心理学者のバッドリーによると、人の短期記憶には「音韻符号化」として処理するメカニズムがあるとされます。音韻符号化とは、言葉による情報を一度自分の音声に置き換えることによって、言語を理解し、短い時間で記憶するための重要な機能として位置づけられています。

実際、シャドーイングによって、習熟度が低い学習者に短期間で効果が見られるという研究結果が出されています。日本の研究者が、大学生を対象に5日間という短い期間でその効果を検証したところ、シャドーイング法をとり入れた学習によって英語のリスニング力が確実に伸長していることが明らかにされました。

シャドーイングは「機械的な外国語の繰り返し」だと考えられがちですが、外国語を学ぶ際に言葉の意味、統語、発音、形態などが脳内で音声処理され、記憶として定着していくメカニズムに深く関わっているのです。

種本からアイデアや構想を生み出す

論文や計画書を作成する際に、何も参考にせずに白紙の状態から書き始めるということはないと思います。稀なる天才やよほどインスピレーションが湧いた時以外、人はたいてい何かを参考にしながら、書き進めていくはずです。

私がオックスフォード大学に留学していた時、博士論文のテーマがなかなか定まらず指導教授に相談したところ「種本（source book）を探すところから始めなさい」とアドバイスを受けました。種本とは、「著作・講義などのよりどころとする書物」のことです。「参考文献」と言い換えることができるでしょう。火をつける時に用いる「種火」のように、「種本」は研究者が独自の考えやアイデアを発想し、論文を書き上げる過程で最も影響を与える本や資料です。それらを模倣することで、優れた文書の書き方や論の展開の仕方などが学べるのです。

私の経験上、「種本」は人生でめぐり合う数少ない親友のように思います。優れた種本と出会うことで、自分の考え方の基礎が築かれる、また独自の思考が生み出されるなど、その後の人生が大きく変わることがあると思っているぐらいです。今ふりかえると、「種本」との出会いがあったからこそ、私は博士論文を書きあげることができたと確信しています。

種本の種類

作成された文章が信頼を得るためには、まず種本自体が信頼できるものである必要があります。種本は、その独自性および生データへの近さにより、以下4つに分類されます。

■ 一次資料：政府の政策や行政の統計データ、歴史的文書などの原典資料

- 二次資料：一次資料に基いて書かれた学術論文など（一般的な参考文献）
- 三次資料：二次資料を編集して掲載した本や資料（新聞記事・公的ネットニュース、エッセイなど）
- 四次資料：一次～三次資料以外のもの（映画のパンフレットや広告など）

学術論文では、第一資料、第二資料が種本として望ましいものです。

ネットより本をおすすめする3つの理由

私が大学の時はまだインターネットがなかったので、自分が読みたい本は書店や図書館で見つけるか、だれかから借りるのがあたりまえでした。今の時代、たしかにネット検索は情報にアクセスする速さなどで圧倒的な優位性がありますが、ネットの情報を読んだだけでは十分とはいえません。なぜなら、ネットで入手できる情報は総合的ではなく断片的な「単発情報」であることや、執筆者の主張が強く反映されすぎていて客観性に欠けるものが多数あるためです。

もちろん、インターネット検索して必要な本を収集することは便利です。ただ、ネットでの検索では時間がかかってしまい、なかなか理想とする種本を見つけ出すことができないと思われます。たとえば、ネットで「国際化」「AI」「思考法」などのトピックを検索したとすると、膨大な数の情報にアクセスしてしまい、どの本を読んでいいのか混乱してしまいます。また、本のタイトルとかんたんな紹介だけしか掲載されていない場合が多いので、中身がよくわからず選べない状況になることもあります。特にお金の制約があったり時間に余裕がない時は、ピンポイントで読みたい本を探さなければならないので、なおさら困ってしまいます。

本を探すときには、ネット書店で検索するだけではなく、図書館や街の書店に足を運び、自身の手で選ぶことをお勧めします。以下のような性質があるためです。

▶ 一覧性：ひと目で判断可能

ネットでの検索と図書館検索を比較すると、「一覧性」という点で書籍が勝っています。現場で実際に本を手に取って読んでみると、文体や構成、デザインなど自分の思考力や理解の程度に合っているなどの傾向がすぐにわかります。

▶ 関連性：関連書籍を発見しやすい

図書館などの書棚は、関連した書籍別に配置されています。読みたい本の前後左右に関連する内容の書籍が配置されているので、周囲にある本の内容も同時に調べることができます。

また、たとえ本のタイトルが希望する分野とはまったく違うものであっても、内容の部分などで重なっている本が隣接するので、ネット検索では見つけられない本に行きつく可能性があります。

▶ 情報開示性：見つからない場合に補助を受けやすい

図書館には本の管理や貸し出しを担当する司書が在中しているので、探している本が見つからない場合にはほかの図書館の情報や借り入れの手続きなどの補助が受けられます。ベテランの司書であれば、最新の本やテキストなどの本の情報を提供してもらうことができます。

ネットで情報収集をするなら、公的機関から出されているものや有料ニュースサイトなど、信頼のおける情報源から情報を得ることが大切です。そして、やはり書籍からの情報と合わせて補完的に使用することが大切でしょう。

なお、書くものの分量にもよりますが、種本は多くても3冊程度で十分だと思います。それ以上少ないと物足りないし、多くなると情報量が増えることでアイデアを生み出すときに思考が混乱してしまうためです。

種本を明示する

参考文献を明示して、その利用箇所を文章中でその都度正確に記すことは、文章を作成するうえでの規則です。読者は作者の議論を追いながら、そこで展開されている主張の根拠がどこにあるのかを知りたいためです。

参考文献リストの作成には、一定の書式があります。

- 引用した本や資料をすべて参考文献としてリストアップし、文末に記す
- 文章内のどこでそれらを参照したのかを明記する
- 参考資料のどの部分を、どのように活用したのかについて書く

ただし、参考文献の表示の仕方は言語や専門分野によって違いがあるので、それぞれの様式に合わせて記載するようにしましょう。

研究論文や公的な報告書を書く際は、先行研究を参考にしつつ、適宜引用することは大切ですが、盗用や剽窃（ひょうせつ）をしないように注意しなければなりません。盗用・剽窃とは、他者の書いた文章や考え方を無断であるいは部分的に使用し、自分のものとして発表する行為を指します。意図的かどうかを問わず、適切なルールに従わずに引用されたものは盗用・剽窃と見なされ、学術的かつ倫理的に深刻な規則違反となります。

現在では盗用・剽窃をチェックするアプリが開発されており、発覚の確率が高くなっています。どのように引用すれば不正行為にならないかは、関連する書籍やインターネットの情報を参考にしてみてください。

種本をまねるための準備をする

種本が見つかったら、まず次の4つのステップで準備をおこないます。

▶ 1 目次を読み込む

まず、目次からその本の内容や構成をつかみましょう。おおよそどのようなことが書いてあるのかを想像したうえで本文を読むと、内容の理解が速まります。

▶ 2 序章と結論部分をよく読む

一般的に本は、序章（「はじめに」など）にその本が書かれた背景や動機、目的が書かれてあり、最後の結論（まとめ）で全体を総括するような構成で書かれています。序章と結論には整合性が求められるので、そこまでに至

る文章の展開や論理性をしっかりと読みとりましょう。

▶ 3 全体をよく読む

同じ本を、最初から最後まで、少なくとも2回読み込みます。1回目はザッと読み、2回目で真似をしたい箇所に線を引きながら読むといいでしょう。この段階ではまだ本を読むことに集中し、優れた文章や表現がどのようなものであるのかを理解することを目標とします。

▶ 4 文書を抜き出す

もう一度ステップ3をくり返し、真似したい文章をそのまま抜き出します。抜き出した箇所があまりにも長文であったり、多岐にわたっている場合は、細かく分けて書き出してください。

種本を3つの方法でリライト／パラフレイズする

準備ができたら、抜き出した文章を自分の言葉で書き換えます。文章を要約したり、主語と述語の位置を変えるなどもふくめ、この作業は「リライト」や「パラフレイズ」とよばれます。何度も練習をくり返し、書き換えのコツをつかむことから始めてください。それに慣れてくると、自分なりの文章の書き換え・加筆・添削の仕方が身についてきます。

リライト／パラフレイズには、以下の3つの方法があります。

▶ 単語やキーワードの入れ替え、文章の順番の入れ替え

単語については、原文で重要な単語やキーワードは必ずその意味を調べ、適切な言葉や表現を補って書き換えます。

【例】

種本を見つけるコツは

⇒種本を検索するポイントは

文章は、短いものなら前後の入れ替え、複数の文章が連なる段落なら文

章ごと順番を入れ替えます。

【例】

種本のポイントは「同じ内容のまま別の文章」にすることにある。

↓

「同じ内容のまま別の文章」にすることは、種本の使い方のコツである。

ただ文章の順番だけを入れ替えるのではなく、その効果などを加筆して文章を変えます。

▶箇条書きで要点をまとめる

並列表現（○○や××、または△△や▲▲）を多用している場合や、文書が長い場合には、箇条書きでまとめます。

【例】

以下のようなものがある。
第一に……
第二に……
第三に……

この本自体も、目次を箇条書きにして要点をまとめている個所がたくさんあります。

▶主語と述語の距離を詰める／同じ文末表現を繰り返さない

主語と述語の間に言葉が多いと文章がわかりづらくなるので、できるだけ近づけるようにします。また、同じような言葉や文末が続くと稚拙で機械的な印象を与えるので、できるだけ言い回しを変えるようにしてください。

【主語と述語が遠い例】

福沢諭吉は近代国家の教育理念を万人に教授するために「学問のすすめ」

を書いた。

↓

近代国家に必要な教育のあり方を示すために、福沢諭吉は「学問のすすめ」を書いた。

オリジナルの文章があまりにも魅力的で、どうしてもそのまま使いたい場合は、必ずその部分を「」などで区別して、その後に引用元(どの本の、何ページから抜き出したのか)を明記するようにしましょう。

種本から自分のアイデアを生み出してみよう

種本の表現や文体を真似しながら、自分なりの考え方を入れ込んでいってください。以下の3点が基本的なやり方です。

▶ バージョンアップする

オリジナルの本が古い年代に出版されたものなら、「現代的な視点から考えるとどうなるか」などを加え、議論のバージョンアップを図ります。

▶ 比較の視点を入れる

ほかの人の理論的視点や他国の事例などと比較し、そこから新しい議論の展開につなげます。

▶ 批判する

種本の主張とはまったく正反対の立場の意見や批判を加えることで、全体の議論に幅を持たせます。

このほかにも、種本から得た知識をもとにして、独自のアンケートやインタビュー調査、実験などで新しく得たデータを加え、議論に深みを加えることも考えられます。

この段階が終わったら、最後に全体を推敲し、盗用や剽窃がないかなどをよくチェックしましょう。

反面教師で思考力を鍛える

> One man's fault is another's lesson
> Learn wisdom by the follies of others

これらは、「人のふり見て我がふり直せ」を表す英語のことわざです。この場合の「lesson」は「教訓」、「fault」や「follies」は失敗・愚行などを意味します。

日本でも「反面教師」という言葉がよく使われますが、これはもともと中国で作られたものです。悪い見本や反省の材料となるような人や事例を指し、決して真似してはならない戒めの対象といえます。しかし、「反面教師」の存在や言動が、そうしてはいけないという反対の面から、人を教育するのに役立ちます。すなわち、反面教師から自分が嫌だと思う習慣、ふるまい方・癖などを改めて認識し、避けることで学びが成り立つのです。

相手の言動に対して嫌悪感や否定的なイメージを持ったとしたら、自分の中にも反面教師がいることになります。そして、自分の明確な意図と選択にもとづいてそうした反面教師的な言動を相対化して回避することは、一種の「模倣」学習といえるでしょう。

「反対に考える」ことの効果

私たちは、日常生活の中で考えをめぐらせる際に、どうしても無意識に囚われてしまい、一定の思考の枠を超えた発想ができなくなることがよくあります。自然科学分野で多くの重要な貢献をしたドイツの数学者カール・ヤコビは、「自分の考えを明確にする方法の1つは、数学的な問題を

“逆に考え直す”ことだ」と説いています。ヤコビは、解決しようとしていた問題の反対を書き留めて、解決法によりかんたんにたどりつくことを発見したといわれています。

バングラデシュにあるグラミン銀行は、土地を持たない人など貧困層の人々を対象に低金利な無担保融資をおこなっていますが、これは一般的な銀行のコンセプトを180度転換することで誕生したといわれています。

- 裕福層の人々のため ⇒ 貧困層の人々のため
- 高額取引中心 ⇒ 少額取引も可能
- 都市にある ⇒ 農村にある

グラミン銀行を設立した経済学者・実業家ムハマド・ユヌスは、その実績をたたえられ、2016年にノーベル平和賞を受賞しています。

競争相手がいない分野であえて個性や特徴を強調したり、相手の弱みや実現できないことを自身の強みにすることもまた、反面的な模倣でしょう。ヨーロッパの機械式時計は、日本のクォーツ時計を反面教師として、時計にデザイン性や所有価値という新しい強みを与え、ブランド戦略を強化して成功を収めたとされています。

「ああはならない」で終わらせず、肯定的な状況もインプットする

意識的に反面教師から学ぶ訓練を、私は「反面教師法」と呼んでいます。コツとしては、「あのような人にはならない」というところで思考を留めず、さらに「その人の反対はどんな人か」まで考えることです。

これには、じつは脳のメカニズムが関係しています。人は頭でいくら他人の嫌な言動の仕方を否定しても、ネガティブな感情を全部取り払うことはできず、実際に自分が同じような状況になったときに無意識にそのような反応をしてしまう習性があるとされます。

たとえば、よく腹を立てる人を見て「ああはなりたくない」と感じて「腹を立てない人になる」と思っても、ふとしたことで自身が反面教師と同じことをやっているのに気づいて落ち込んだ経験はないでしょうか。このよ

うな場合は、「いつも穏やかな表情と気持ちをもつ」というように、肯定的な状況もあわせてインプットしておくことで行動を制御できるとされます。

コミュニケーション力を反面教師法で向上させてみよう

反面教師法によってコミュニケーションの取り方で不快に感じる点に焦点を当てて思考してみてください。具体的な進め方としては、下記の手順となります。

▶ 1 不快に感じる点を洗い出す

コミュニケーションには、言語的コミュニケーションと非言語的コミュニケーションがあります。言語面と非言語面の要素に分けて、不快に感じることを洗い出してみましょう。

【言語面】

- 声量が不適切
- 言葉づかいがよくない
- 威張っている
- 大げさ
- 早口でまくしたてる

【非言語面】

- 無表情
- 目を見ない
- 相槌を打たない
- 距離が遠い
- ジェスチャーがない

※ほかにも、話を聞かない、すぐ否定する、自慢話が多い、時間を守らない、知ったかぶりなどが考えられます

▶ 2 反対を書く

①で洗い出しことの反対を書いてみましょう。

【言語面】

- 声量が適切
- 優しい言葉づかい
- 安心感がある
- 自然
- ゆっくりしていて聞き取りやすい

【非言語面】

- 表情豊か
- 目を適度に見る
- 相槌がある
- 適度な距離
- 適切なジェスチャー

▶ 3 反面教師を模範教師に変えるアイデアや方法を考え、表にする

もし、身近にコミュニケーションの反面教師がいたら、この方法を活用してください。相手の嫌な言動を前向きなベクトルへと変換して学習することが反面教師法のコツといえるでしょう。

［反面教師を模範教師に変えるアイデアや方法を表にする］

言語面

（不快な要素）

- 声量が不適切
- 難しい言葉づかい
- 威張っている
- 大げさ
- 早口でまくしたてる

⇩

（反面教師）

- 声量が適切
- 優しい言葉づかい
- 安心感
- ゆっくり
- 聞き取りやすい

⇩

（改善方法）

日頃から声の大きさや言葉づかいに注意する

非言語面（不快点）

（不快な要素）

- 無表情
- 目を見ない
- 相槌を打たない
- 距離が遠い
- ジェスチャーがない

⇩

（反面教師）

- 表情豊か
- 目を適度に見る
- 相槌がある
- 適度な距離
- 適切なジェスチャー

⇩

（改善方法）

- 毎朝鏡に向かって表情を豊かにする体操をする
- 10秒以上のアイコンタクトを意識する

その他の面（不快点）

（不快な要素）

- 話を聞いていない
- なんでも否定
- 自慢話が多い
- 時間を守らない
- 知ったかぶり

⇩

（反面教師）

- 話をよく聞く
- 肯定してくれる
- 自慢話をしない
- 時間を守る
- 知ったかぶりをしない

⇩

（改善方法）

- 傾聴のスキルを身につける
- 時間を守る姿勢を持つ

TRIZで先例を
アレンジして創造する

オックスフォード大学でAIなどの研究をおこなうマイケル・A・オズボーン准教授によると、「21世紀中に、現在人がおこなう仕事の約半分がロボットに奪われる」という衝撃的な予測が出されています。近い将来、多くの職業が消え去ることがわかっている中で、今後も人々が安定した社会生活を営むためには、困難を切り開く創造的なアイデアが必要になります。では、そうしたアイデアはどのようにして生まれるのでしょうか。

じつは、新しいアイデアの多くには先行する事物や事例があって、その特性を真似て欠点をカバーしたり、ちょっとだけアレンジすることで新しいものが生み出されることはめずらしくありません。たとえば、鉛筆は発明された時は丸い形をしていたので机の上から転がり落ちることがよくあり不便だったのですが、その後改善され、現在のような六角形になりました。先人に学び、そこに工夫を加えることで、独創的なアイデアが生まれる可能性があるのです。

TRIZとは

新しい製品開発のアイデアを得る際や、すでにあるアイデアとの重複がないかなどを見極め、開発設計の後戻りを防止することを可能にする手段として、TRIZ（トゥリーズ）というものがあります。TRIZは、1940年代にロシアの発明家・特許審査官でもあったG.アルトシュラーが約250万件の特許を調査してその中にある規則性を体系づけた「発明的問題解決の理論」のことで、これを意味するロシア語の頭文字をとってそのように呼ばれています。

TRIZでは、「ある分野で新たに解決された問題は、そのほとんどがほかの分野ではすでに解決済みである」ことを前提として、分野を超えて利用できる「40の発明原理」を提唱しています。図の40項目について可否を考えることで、アイデアを導き出します。

それぞれの原理には特性があり、それを実用化して最大限の効果を生み出すことを目的とします。いくつか例を挙げます。

▶ 分割原理（1番目）

「サイズや量が大きいものは分割する」という原理で、適応性や融通性の向上につながるとされます。たとえば、電車が複数の車両に分かれているのは、時間帯ごとの乗客数に応じて編成を変えるためです。1枚の板チョコレートだと食べづらいので細かく分けるのも、この原理の一例でしょう。一見ごくあたりまえのことであっても「もしまったく分割されていなかったら」と考えてみると、分割原理の効力を実感できます。

▶ 組み合わせ原理（5番目）

分割原理の逆で、連結することや組み合わせる（組み替える）ことで効果を上げる考え方です。たとえば、鉛筆と消しゴムを足した「消しゴム付き鉛筆」などが考えられます。

▶ 入れ子原理（7番目）

人形の中に人形を何段階も組み入れるマトリョーシカ人形が典型的イメージになります。この原理は弁当箱、アンテナ、重層式金型などに見られ、「収納の際に場所をとらない」「整頓が円滑になる」などの利点があります。

▶ 先取り原理（10番目）

事前に動作などの準備をしておき、必要な時にスムーズに実行させる考え方です。たとえば、エアコンの予約タイマーや電子レンジのタイマー、停電時の懐中電灯も、この原理に基づくといえます。

[TRIZの40の発明原理]

1 分割
2 分離
3 局所的性質
4 非対称
5 組み合わせ（併合）
6 汎用性
7 入れ子
8 釣り合い
9 先取り反作用
10 先取り作用
11 事前保護
12 等ポテンシャル
13 逆発想
14 曲面
15 ダイナミックス（ダイナミック性）
16 部分的な作業または過剰な作用（アバウト）
17 他次元移行
18 機械的振動
19 周期的作用
20 有用連続性（連造成）
21 高速実行
22 災い転じて福となす
23 フィードバック
24 仲介
25 セルフサービス
26 コピー（代替）
27 高価な長寿命より安価な短寿命
28 メカニズムの代替（もう1つの知覚、機械的システム代替）
29 流体利用
30 薄膜利用
31 多孔質利用
32 変色利用
33 均質性
34 排除／再生
35 パラメータ
36 相変化
37 熱膨張
38 高濃度酸素利用
39 不活性雰囲気利用
40 複合材料

組み合わせを応用した「お話の円盤」

国際TRIZ協会の「子供のためのTRIZ発明学校」の研究会では、40の発明原理を活用したさまざまな教育プログラムが開発されています。組み合わせ原理を応用した学習法に、「お話の円盤」があります。「お話の円盤」とは、関連性のないキーワードを組み合わせてストーリーを作り出すものです。

［お話の円盤］

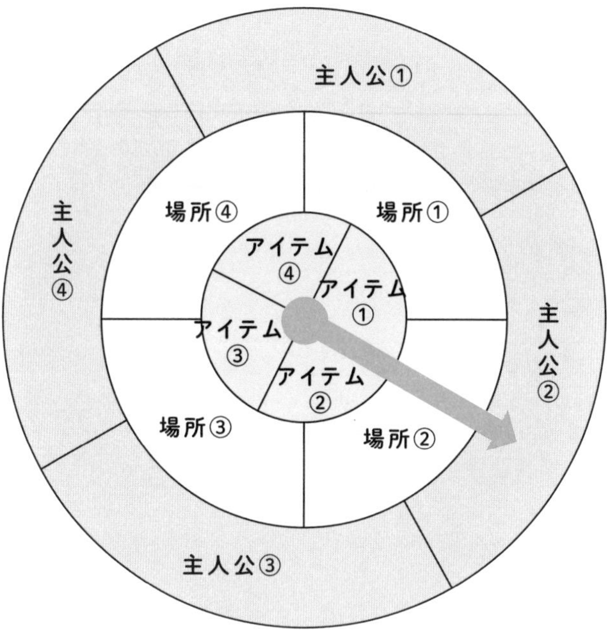

個人またグループで、針と円盤に記された物語の登場人物、場所、アイテムのキーワードを回転させながら組み合わせて、ストーリーを作成します。

3つの円盤は、次の構造になっています。

■ 外円周 ＞ 物語の主人公
（少年・少女、イヌ・ネコ、架空の生物など）

■ 中円周　⇒　主人公のいる場所

（山、海、川、都会のビル群、学校など）

■ 内円周　⇒　物語に出てくる重要なアイテム

（宝石、磁石、自転車、ボールなど）

それぞれの円周を4〜5つのセクションに分けて、各項目のキーワードを書き入れます。

学習者は、この作業を通じて物語づくりのスキルを身につけます。グループで作ったストーリーに基づいて、学習者が自分で絵を描くこともできます。

「お話の円盤」で新しいストーリーを生み出してみよう

「お話の円盤」を使ってよく知られた物語やアニメなどを組み合わせて（組み替えて）、新しいストーリーを生み出す練習をしましょう。次のステップでやってみてください。

▶ 1 よく知られた4つの物語を選ぶ

ここでは、次の4つを例にしてみます。

■ 桃太郎

■ シンデレラ

■ となりのトトロ

■ ハリー・ポッター

▶ 2 円盤の外円周、中円周、内円周にそれぞれキーワードを書き入れる

■ 外円周（主人公・登場人物）

⇒桃太郎、シンデレラ、トトロ、ハリー・ポッター

■ 中円周（主人公のいる場所）

⇒島、お城、森林、学校

■ 内円周（重要アイテム）

⇒きびだんご、ガラスの靴、空飛ぶ傘、魔法の杖

▶ 3 登場人物、場所、重要アイテムを組み合わせて新しい物語を作る

■ シンデレラ＋学校＋空飛ぶ靴

■ トトロ＋島＋ガラスの靴

主人公はその物語に出てくる別の登場人物でもかまいませんし、場所を変えてもいいでしょう。大切なことは、筋の通った楽しいストーリーが作れるかです。

COLUMN

オズボーンのチェックリスト

TRIZの「40の発明原理」と類似するものに、アメリカの事業家アレックス・オズボーンが生み出した「オズボーンのチェックリスト」があります。あるテーマや対象に対して次の9つの違った観点から発想の転換を促すことで、新しいアイデアを創出しようとするものです。

- 転用「ほかに使い道はないか？」
- 応用「ほかからアイデアを借りられないか？」
- 変更「変えてみたらどうか？」
- 拡大「大きくしたらどうか？」
- 縮小「小さくしたらどうか？」
- 代用「ほかのもので代用できないか？」
- 置換「入れ替えてみたらどうか？」
- 逆転「逆にしてみたらどうか？」
- 結合「組み合わせてみたらどうか？」

TRIZは、オズボーンのチェックリストが提示する9つのパターンが40になったと考えれば理解しやすいかと思います。このチェックリストも、既存のものにいろいろと工夫をこらすことで新しい発想を得ることを目的としています。

5章
記述する

コーネル式ノートテイキングで簡潔に情報整理する

今から30年ぐらい前に私はアメリカとイギリスの大学に留学したのですが、海外の教育でまず驚いたのは、学期の開始時期に「ノートテイキング」という授業があることでした。授業は週に1、2回（1回約90分）開講されていて、どのようにしたらいいノートがとれるのか、さまざまな工夫の仕方やスキルについて学ぶのです。

日本でも、小学校から大学まで授業中にノートをとることは身近な方法ですが、ノートのとり方は生徒によってバラバラで、黒板に書いてあることをただ機械的に写すだけだったりします。また、授業中に講義のノートを取ることは“受動的な作業”とみなされがちです。一方、欧米西諸国の学生はノートの空間を最大限に生かし、多彩な色のペンや鉛筆などを工夫して用いて、自分の頭を整理し、かつ自分の意見もアウトプットしていくという、積極的な学習形態の1つと考えているのです。

「たかがノートでしょ」と思われるかもしれませんが、教育学ではノートテイキングは教える側と学ぶ側の相互作用によって生み出される学習上の「戦略」であるとされます。「ノートを制するものは学問を制す」という言い回しがあるぐらいです。

ノートテイキングの2つの役割

教育学者のボッチとピオラットをはじめとする学習方法論の研究によると、ノートテイキングには「情報の記録」と「ふりかえりの補助」という2つの役割があるとされています。つまり、ノートテイキングとは、ただ単に教える側の話や板書の内容を書き写すだけではなく、後からノートを見直して活用することも含む概念なのです。また、批判的思考などを反映させたノートテイキングが学習者の情報の保持や応用を促進するという知見も蓄積されています。

ですので、ノートテイキングの経験を積めば、後から見返してもわかりやすいノートを効率よく作る習慣が身につきます。だれが読んでもわかりやすいノートづくりが日ごろからできるようになれば、他者が読むことを前提としたノート（議事録など）もかんたんに作成できます。

CNTの3つの領域と6つのR

ノートテイキングの代表的な方法に「コーネル式ノートテイキング（CNT）」があります。CNTは、アメリカの名門、コーネル大学の学生のためにウォルター・パウク氏が考案したノートのとり方です（1989年に"How to Study in College"という参考書も出版しています）。ノートの1ページを以下の3つの領域に分け、情報を整理しながらノートを取るのが基本です。

▶ノート：授業や会議などの内容をメモする領域

板書で重要と思われる部分だけを、単語、簡略記号、箇条書きを用いてなるべく簡潔にまとめます。ぎっしり書き込まずに余白を持たせることで、復習の際に書き足すこともできるようにします。

▶キュー：内容を思い出すための「手がかり」や「ヒント」を書く領域

質問やヒント、キーワードを書きます。キューを整理することで授業や会議全体の流れを把握しやすくなり、授業や会議中、終わった後などで疑問・問題点を思い起こすことに役立ちます。

▶サマリー：要約の領域

授業や会議が終わってから、復習のために考えをまとめます。また、次の考えや行動につなげるようにポイントを書きます。

この3つに分けるという工夫によって情報整理が簡潔になり、ノートの内容が理解しやすくなることに加え、授業内容を集中して聞くことができ、必要な情報を素早く取捨選択するスキルも身につきます。

［CNTではノートを3つの領域に分ける］

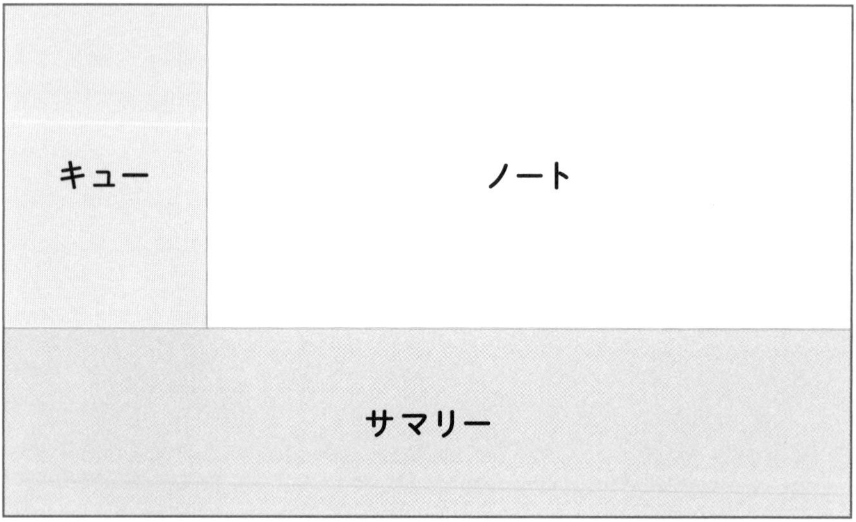

出典：The Cornell Note Taking System
http://lsc.cornell.edu/how-to-study/taking-notes/cornell-note-taking-system/

また、CNTでは6の「R」による段階学習法の手順が示されています。

- Record（記録）

⇒ノート領域に説明や板書を簡潔に書く

- Reduce（短縮）

⇒キューの領域に説明をまとめる際に、全文は書かずに短文で書いたり、冠詞、前置詞を省略するなど、情報を取捨選択する

- Recite（暗誦）

⇒ノート領域を隠して、キュー領域に書いた質問やキーワードを見て説明ができるか確認する

- Reflect（思案）

⇒「何が重要なのか」「どんな原理があるのか」「どのように応用できる

のか」などさらに考えを深める

■ Review（復習）

⇒今までに取ったノートを見直す（毎週、少なくとも10分程度）

■ Recapitulate（要約）

⇒ふりかえりをするため、サマリー領域に「注意点」「今後の方向性」などをメモする

まとめると、授業や会議などCNTによって書き取ったものを、その日中に復習し、キュー領域とサマリー領域に書き込みます。そして、試験やプレゼン前になったらノートを読み返す習慣を身につけましょう。

コツとしては、ノートの右側を隠しながら、左側のキューを使って自問自答するように記憶を呼び起こし、頭の中で説明できるようにすることです。また、学習した内容を効率よく活用するために、特にサマリー領域を工夫するように心がけましょう。

私は、新入生の初年次教育の授業でCNTを紹介しています。講義だけではなく、ビジネスの会議やインタビュー、講演会のメモを取る時にも、CNTはとても役に立ちます。

CNTを使って記述してみよう

ノートテイキングを練習するためには、身近な話題についての情報が満載のテレビやインターネット動画を題材にするのがいいでしょう。関心や興味がある内容なら楽しみながら取り組むことができます。

CNT形式にしたノートと筆記用具を準備し、CNTの3つの領域と6つのRを確認したら、以下の3つのステップで記述していってください。

▶ 1 題材を探す

テレビやラジオ、ネット動画などで、ニュースやインタビュー、アニメ、映画など自分の興味・関心があるものを1つ選んでください。まずは練習

として、ニュースなど短い内容のものを選ぶといいでしょう。

▶ 2 CNT方式で書き取る

ニュースやネット動画を視聴中にＣＮＴのノート領域とキュー領域に書き入れます。聞き取ったことを全文にするのではなく、後から見返して要点がはっきりとわかるように書いてください。

大事なのは、情報を取捨選択する気持ちを持つこと。本人しか使わないイラストやシンボルなどを用いると、メモに親しみが持てます。

▶ 3 サマリー（要約）して読み返す

ノートを取り終えたら、内容を整理したうえで、要約して重要なポイント、話の筋道、今後の展開などを書き入れます。情報をノートするだけではなく、そこからまとめと要約をすることで、情報の整理や次の視点を生み出す力が形成されます。

この3ステップを、題材を変えながら、くり返し練習してみてください。

慣れてきたら、ドキュメンタリーやインタビューなど比較的長い内容のものや聞き取り中心のものを選び、ノートテイキングしましょう。単に黒板を写すだけではなく、ノートテイキングによって思考が深まることが実感できるでしょう。後で見直してみても、自分がどのように考えて結論に達したのかがわかるので、知識や情報が記憶に定着しやすくなります。

COLUMN

レオナルド・ダ・ヴィンチの手稿

名画「モナ・リザ」や「最後の晩餐」の作者である、芸術家レオナルド・ダ・ヴィンチ（1452〜1519年）が科学や芸術分野における幅広い構想を書き残した「アランデル手稿」は、とても美しいノートとして知られています。左手による鏡像書法（鏡文字であり、右から左へ読む）で、図表、線描画、簡潔な文章が書かれており、学問的創造性だけでなく、芸術的な価値が認められています。「アランデル手稿」は大英博物館に保管されていますが、今では高解像度データとして公開されています。ぜひ一度ご覧になってみてください。

マインドマップで考えを見える化する

私は大学で日本人学生と留学生がいっしょの教室で学ぶ「国際共修クラス」を20年以上続けています。使用言語は英語で、異文化コミュニケーションや比較教育学について学生のグループ発表を通じて交流を深めながら知識を学ぶことを目的としています。こうした取り組みは日本人だけのクラスでも時間と労力がかかりますが、世界中の国々の留学生たちと、しかも英語で取り組むとなるとさらに大変です。言葉のやりとりだけで考え方をシェアしたり、広げたりすることができない場合、私は学生たちに協力して「マインドマップ」を作成するように指示しています。

教育学や脳科学から見るマインドマップの効果

マインドマップは、イギリスのビジネスコンサルタントであるトニー・ブザンによって1970年代に考案された、思考の整理・分類・記憶のための記述法です。著書『ザ・マインドマップ ―脳の力を強化する思考技術』（ダイヤモンド社）をはじめ、世界中でマインドマップに関する書籍が多数出版されており、学校などの教育現場、GoogleやAppleといった世界的大企業、スポーツ団体、官公庁など、さまざまな組織で活用されています。マインドマップに関してはさまざまな学問分野の研究によって、その効果が実証されています。

教育学の分野では、大学生への質問調査によるマインドマップの使用前後での差異が検証され、以下の表のように「思考整理」「対象把握」「作業効率」などにおいて学習効果を高めることが明らかにされています。

［マインドマップの効果］

- 計画的に作業をすることができる
- 物事をまとめることができる
- 頭の中を整理することができる
- 考えを明確にすることができる
- 物事の全体像を把握することができる
- 物事の細部を把握することができる
- 物事に集中することができる
- 時間を有効に使うことができる
- 効率的に作業をすることができる
- 落ち着いて考えることができる

髙橋文徳「マインドマップが学習効果を高める要因の検証」より

脳科学的な視点からは、マインドマップが提唱する「放射思考」は脳の情報操作に関する5つの機能（受容、保存、分析、アウトプット、コントロール）を統合的に表しているとされます。放射思考とは、脳が受け取った感覚や記憶などの情報を関連づけながら放射状に広げていく思考パターンのことです。これは、右脳（五感、イメージ力や記憶力、想像力やひらめきに関係する）と左脳（言語や計算力、論理的思考）との結びつきを強め、知識の受容を促すとされます。

最近では、コーチングの分野でもマインドマップが用いられています。コーチングは、学び手が目標を達成するために、必要な知識や技法を習得させ、最短の時間で成果があがるように継続的にサポートしていく取り組みです。コーチングにマインドマップをとり入れることで、相互コミュニケーションの迅速化、問題発見と対応など、目標達成のプロセス全体を可視化し、理論化・実用化する研究が進められています。

マインドマップの基本と書き方

マインドマップはさまざまな書き方がありますが、ここではトニー・ブザンの著書を参考にしつつ、できるだけかんたんなマップの書き方を解説します。

マインドマップには、次の3つの要素があります。

- セントラル・イメージ（中心）＝自分が書こうと思うテーマやトピック
- ブランチ（枝）＝中心から外側に向かって伸びている曲線
- キーワード＝鍵となる言葉

線には3色以上を用いるのが基本です。線の太さやスタイルを調整（外に向かうほど細くしていく）することで、重要度などが見やすくなります。また、直線よりも曲線を用いることで、余白が活用しやすくなり、見た目にも柔らかいイメージになります。

マインドマップを書く紙は、無地、A4～A3サイズ、横長のものを使うと、連想やイメージが伸ばしやすいです。

［マインドマップの例］

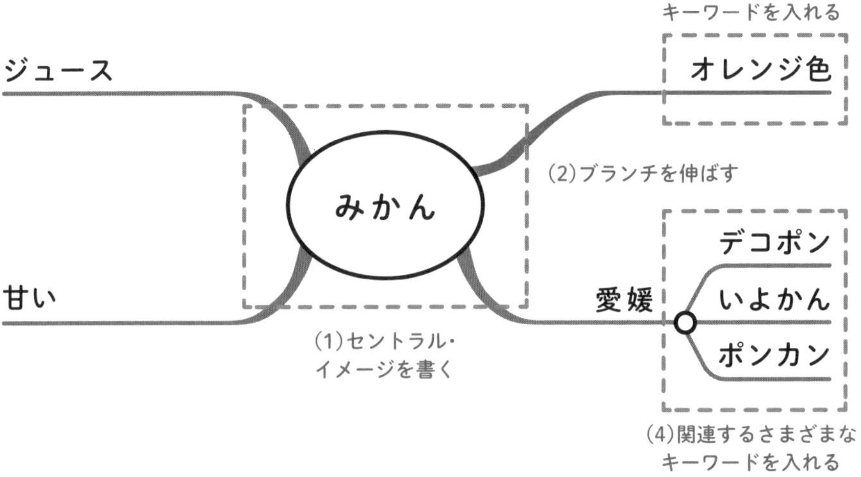

次のステップでマインドマップを書いてください。

▶ 1 中心（セントラル・イメージ）を書く

図では「みかん」がセントラル・イメージです。

まず、紙の中心にテーマに関する言葉や絵を書きます。言葉の長さは単語で1つ、多くても3つ程度にします。

中心が大切なので、大きな文字やカラフルな色にしましょう。

絵が苦手ならば、文字や図形や記号を組み合わせる、写真やイラストの画像を使うなど工夫してください。

▶ 2 中心からブランチを伸ばす

「オレンジ色」「ジュース」「甘い」「愛媛」などです。

中心の抽象的なアイデアから具体化するように、枝は「大きい・太い」から外に向かって徐々に「小さい・細い」イメージになっていく感覚で伸ばしていきます。

「時計の1時の方角」から、時計回りに書き始めてください。そのあとは、どこから書いてもかまいません。

▶ 3 ブランチの上に言葉を書く

「デコポン」「いよかん」「ポンカン」などです。

1つのブランチには、1つの言葉を乗せます。曲線の上に乗せにくい場合には、水平に書いて線で結んでください。

文字とブランチのどちらを先に書くかは自由です。適宜アンダーラインなどを入れてください。

▶ 4 ブランチを伸ばして書いていく

ブランチを伸ばしていく中で、最初は想定していなかったアイデアが頭に浮かぶ場合があります。その場合は躊躇せずにどんどん書きこみましょう。

▶ 5 完成したら全体を展望し、もれやミスがないかを確認する

目標などに関するマインドマップを作成した場合は、比較的難易度の低い項目から着手し、次第に高度なものをやるようにしましょう。

ポイントは、「きれいに整理しよう」と強く思い込まないことです。「アイデアが浮かばない」「きれいにマップが書けない」「字や絵が苦手だ」などと考えすぎると、かえって思考に制限がかかってしまいます。「徒然なるまま」に、自然に湧いてくる連想を浮かんだ順に、楽しく書いてください。

カルタでマインドマップを使ってみよう

教育大国として知られるフィンランドでは、マインドマップをもとに開発された「カルタ」が授業に導入されています。カルタといっても、日本の遊びではなく、「発想力を養う学習法」のことです。1人でも複数でも楽しく取り組める内容になっています。

マインドマップの基本に従って、次のようなステップでマインドマップを書いてみてください。

▶ 1 テーマを決める

【例】セントラル・イメージを「パソコン」とする

▶ 2 次の3つの質問に従ってブランチを伸ばしていく

「それは何？」: 機械、ツール、立体
「それで何をするの？」: 勉強をする、仕事をする、ゲームをする
「それはどんなもの？」: 便利、迅速、現代的、手軽

▶ 3 想像を膨らませる

「それはどんなもの？」で出た「迅速」という言葉から、「時間」を連想したとします。おそらく、「パソコン」と「時間」の関係でぱっと思いつくのは「情報収集・処理速度の速さ」などではないでしょうか。ですが「時間」からすぐには思いつかない「自分の歳」という言葉が連想されたとすると、

それらを結び合わせて、「未来の自分の姿を予測するアプリ」をアイデアとして出すのです。

マインドマップで考えを「見える化」すると、時には突拍子もない発想が出てきて、思わぬ方向に展開するなどの楽しみが感じられます。文章としてまとめる前に、考えが視覚的になり、理解しやすくなるでしょう。
「絵が苦手で、何度も書き直してしまう」などマインドマップの初心者の方や、手書きが面倒と思われる場合は、「FreeMind」「Frieve Editor」「Text2MindMap」など無料のPCのソフトウェアを利用する方法もあります。こうしたソフトは大学や職場で広く使われており、私自身も学会発表の構想を練る時などに利用しています。

グローバルスタンダードのエッセイを書く

海外の学校や大学では、毎日「エッセイ（essay）」が宿題として出されます。一般的に、日本でいうエッセイは筆者の体験や知識をもとにした感想や気持ちを自由に書き綴る文書、いわゆる「随筆」のことです。清少納言の『枕草紙』や吉本ばななの『キッチン』はとても有名ですね。一方、英語のエッセイは、自分の考えを整理して記述した小論文だと考えてください。

私が勤めている東京外国語大学では、「留学200％」をスローガンとして、学生に在学中に短期（1～3か月程度）と長期（半年～1年以上）の2回、留学することを推奨しています。100％留学経験×2＝200％、というわけです。しかし、欧米圏の大学に留学するために必要な英語試験（TOFLEなど）で高得点をとる外大の学生も、いざ現地でエッセイを書くとなると、文章の構造や論理展開がわからず悪戦苦闘しています。むこうでは日本人が好む「起承転結」の書き方、「私が思う（I think …）」で始まる推測型の表現はNGになります。

私たちが学校の国語授業で書く自由作文とはまったく異なり、欧米スタイルのエッセイを書く機会はそれほどありません。留学して「英語でエッセイを書くのが難しい」という方が少なくないですが、それはごく自然なことでしょう。

欧米諸国では、義務教育の段階からエッセイの書き方を学びます。エッセイを書くことはすなわち、自分の考えを整理して、だれにでもわかりやすく伝える文章を書くということです。そのためにはどのような形式・表現・構成にすればいいのかを学ぶことは、発信型のコミュニケーション能力を育成することにつながるのです。自分の意思を文章によって表現し、アウトプットするためのスキルこそがエッセイであり、学習の早期段階から身につけることが求められています。

エッセイの7つの種類

英語のエッセイには、さまざまな種類があります。おもなものは以下の7つです。

▶ **Process Essay(過程)**

時間や手順などの「プロセス（経過）」順に並べて書きます。

▶ **Argument Essay(議論)**

事例をふまえて論証します。

▶ **Description Essay(記述)**

歴史・ドキュメントなど、事実を記述します。

▶ **Definition Essay(定義)**

取り上げるトピックに対して定義を記述します。

▶ **Classification Essay(分類)**

物事がどのカテゴリーに分類されるかを明らかにします。

▶ **Cause-and-Effect Essay(原因と結果)**

物事のCause（原因）とEffect（結果）を書きます。

▶ **Comparison-and-Contrast Essay(比較)**

複数の対象を比較・対照します。

どういったテーマ・内容について書きたいのかによって、エッセイの種類を選択する必要があります。大学の課題では「Argument Essay形式で論じなさい」などの指定がある場合もあります。

エッセイの型

それでは、いいエッセイを書くためにはどのようにすればいいのでしょうか。まずは、英語の「エッセイの型」を理解し、習得することです。書きたいテーマがどのような内容であっても、英語のエッセイには基本の型があります。エッセイは段落（paragraph）で構成されていて、それぞれ役割があり、論理展開の構成が決まっているので、クリアな主張の展開が可能になるのです。具体的には、次のような段落構成になります。

▶ 第1段落：序論（Introduction）

以下3点の順序で、エッセイのテーマや自分の意見を述べます。

- 書き出し：トピックに関連した情報（Introductory Statement）
- 背景：トピックの概要説明（Background）
- 主張：エッセイを通じて伝えたい自分の主張（Thesis Statement）

▶ 第2～3段落：本論（Main Body）

自分の主張をサポートするため、段落（paragraph）ごとにさまざまな事実や根拠、原因を提示します。

基本的に、本論は3段落ぐらいで書きます。各段落のはじめに「何について書かれているか文」（Topic Sentence）を必ず入れ、すぐ後にそれをサポートする文（Supporting Sentence）を入れます。

▶ 第5段落：結論（Conclusion）

以下3つの順序で書きます。

- 論旨の言い換え（Restatement）

⇒自分の意見を、表現を変えてもう1回述べる

- 要約（Direct Summary）

⇒エッセイの内容を簡素にまとめる

■ 結論（Final Statement）

⇒最後に読者に伝えたいメッセージを意識して書く

［英語エッセイの型］

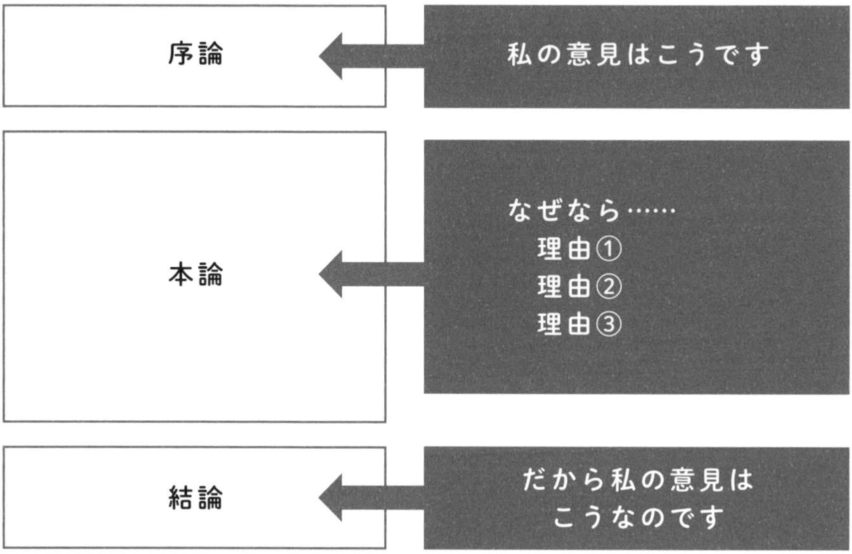

エッセイを書くときの3つのポイント

エッセイを書くときは、以下の点に注意してください。

▶ 論拠をはっきりさせる

特に本論（Main Body）パートで自分の主張や理由や原因を書く際に、客観的な事実や数字などを提示して根拠にする必要があります。先行研究や主要新聞など、信頼のおける文献や資料・情報によってバックアップしましょう。文献や論文などは、大学の図書館、インターネット上の学術サイト（CiNiiやGoogle Scholar）から入手できます。

▶「コピペ」や「盗用」を絶対にしない

欧米の大学では、他者の本や論文などから文章をコピペ（コピー&ペースト：丸写しや、切り貼り）したことが発覚した時点で、プレイジャリズム（Plagiarism）といって「盗作」扱いになり、最悪の場合は退学など厳罰に処されます。最近ではコピペ探索システムやアプリなどが開発されていて、大学で導入されています。

自分の言葉で書くことを原則に、どうしても他者の文章を使いたい場合は「」で囲うなどして該当部分を区別しやすくし、引用元を明記しましょう。

▶指定の文字数に合わせる

欧米の大学では、3000 wordsなど文字数が指定されているエッセイの提出が求められることがあります。その場合は、基本的には本論（Main Body）を増減させて全体を調整するようにしましょう。日本人はイントロ部分が多く、論拠が乏しい「頭でっかち尻つぼみ」の文章になる傾向があるので注意してください。

Argument Essayを書いてみよう

ここでは、Argument Essay（議論型）のエッセイを書く練習をしましょう。Argument Essayは、ある事象に対して、賛成・反対の立場に立って論ずる形式です。自分の意見について、理由や詳細、例を説明することで「読者を納得させる」文章を書くことが目的です。欧米の大学のエッセイや試験の記述問題で一番多く出題される形式です。ここでは、以下の課題を例にしてみましょう。

【課題】「あなたは公共施設での全面禁煙についてどう考えますか」

［解答例］

序論

【書き出し】
喫煙を抑制する法律の制定をきっかけに公共の施設での全面禁煙に関する話題が多く報道されている。
【背景】
たばこによる健康被害は直接喫煙といった点で本人、そして受動喫煙として他者にまで大きな危険を及ぼす。
【主張】
公共の場での全面禁煙を、以下3点の理由から絶対に実施すべき措置だと考える。

Main Body

【何について書かれているか】①
1点目の理由として、医学的な観点から自分だけでなく他人にも疾患を発生させる可能性が高いからである。
【サポート】①
○○研究の調査によると、XX%の確率でがんをはじめとする疾患が発生し、その内×割の人が本人は喫煙しないのに健康に被害が出るというデータが報告されている。

【何について書かれているか】②
2点目の理由として、環境学的な観点から……【サポート】②

【何について書かれているか】③
第3の理由として、防災的な問題として……
【サポート】③

結論

【論旨の言い換え】
公共の場ではあらゆる喫煙を禁止することが喫緊の課題である。
【要約】
上記3点は、決して見過ごすことができない医学的かつ社会的問題の原因になっている。
【結論】
公共の場の全面禁煙の完全実施を期待する一方で、「隠れタバコ」の増加につながっているという見解もあるので、次回は正しい「分煙」スペースの確保という側面なども視野に入れながら検証していきたい。

COLUMN

日本人の論理展開は「渦巻」

南カリフォルニア大学の言語教育者のキャプラン（Kaplan）は、会話や文章などの論理展開が国や民族によって違っていることを明らかにしました。キャプランは、多様な言語や文化背景からなる外国の学生に英作文を教えた経験から、その文章を読めば東洋人やアラブ人などどの民族が書いたのかを判別できると述べています。

［キャプランの思考のパターン］

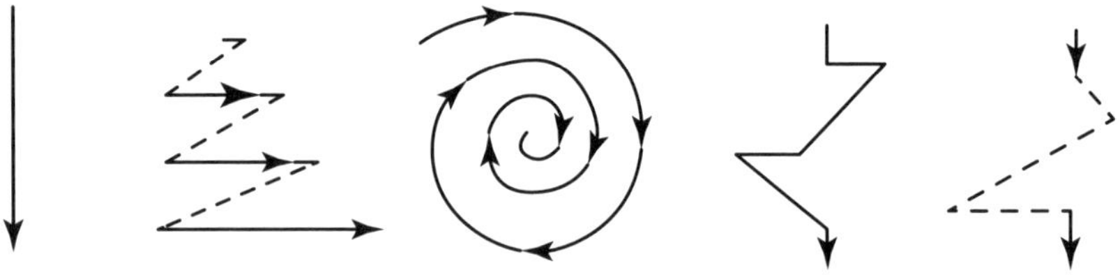

出典：CULTURAL THOUGHT PATTERNS IN INTER-CULTURAL EDUCATION, Robert B. Kaplan

キャプランは、このような図によって論理展開の違いを説明しています。英語圏の人々の文章は論理展開が「直線型」で表されるのに対して、日本人や東洋圏の人々の思考は「渦巻型」になる傾向があるとしています。典型的な英語のエッセイが「私は核兵器廃絶に賛成の立場です。なぜなら……」といった形で結論を先に提示してから理由や原因を述べるのに対して、日本人はまわりの状況説明から入ってぐるぐると渦巻のように議論した後で結論は最後にきます。そのため、英語圏の人々から見ると、日本人の論述はいったい何が言いたいのかはっきりわからない、というのです。

このような論理展開の違いの原因を分析したアメリカの言語学者ハインズは、文章を通しておこなうコミュニケーションにおいて日本では読み手の責任（reader responsible）があるのに対して、英語圏の社会では書き手の責任（writer responsible）があるとしています。日本では書き手が何を言わんとしているのかを推し量ったりしなければならない一方、英語圏の人々は書く人が読む人に対してはっきり自分の意図が伝わるように意識して文章を書くことが大切です。

日本人の曖昧な文章表現は歴史的に「村社会」の争いを避けるための緩和の技法として生み出された背景があり、「和」を大切にする精神が浸透しているためだと考えられます。文章表現は、それぞれの民族によって文化の発展とともに形成されてきたのです。

私は、日本人の結論の導き方を完全に否定する立場をとりません。ただ、英語圏でのエッセイでは自分とは背景や文化の違う人に向かって書く、あるいは読んでも意図がわかるように書くことが求められます。曖昧な言い回しや、賛否がどちらにもとられるような表現は使わないで、言いたいことがはっきりと伝わる書き方を基本にする必要があります。

4行日記で自分を見える化する

自分で思考し、考えを整理して、文章で表現する力をつけるには、まず記述することへの苦手意識を払拭し、書くこと自体を楽しめるようにする練習を重ねる必要があるでしょう。

今、学習法として「日記」に注目が集まっています。日記を書くことは、頭の中にあるさまざまな情報を集約・整理するというインプットと、それを文字化して書き出すアウトプットの両要素が含まれた、本書の主題である「学びの呼吸」を体現する行為です。

日記が学びに有効な理由

国語教育の研究では、日常生活で日記をつけることで語彙が豊富になり、記述する力が向上することが明らかにされています。読む、聞く、話すことで新しい言葉を知るだけではなく、適切な場面で書いて使えるようになってさらに定着するとされます。

また、日記を書くことで、日常に起こりうる出来事を客観的に書き留め、かつそれに対して自分の考えを加える習慣が形成されます。その習慣によって思考を整理できるようになり、感じたことをスムーズに記述し、さらに上手に伝える力が養われます。

青年心理学の分野では、日記そのものが人の感情や思考にどのような影響を与えるのかなどが研究されています。日記を書いて日々の行動をふりかえることで、自己肯定感や反省をふまえて行動することに意識が向くようになり、その後の心身の成長につながるという効果が期待されています。

自律神経研究の第一人者の小林弘幸氏は、自律神経のバランスを調整する方法として「寝る前に日記をつける」ことを挙げています。日記を自分の手で書くことによって呼吸が安定し、リラックスできる作用があるとされます。別の医学研究では、日記により1日の出来事を思い出すことで、加齢とともに衰える近時記憶が鍛えられるとされています。

ポジティブ／ネガティブな感情、疑問や不安など、思いついたことを好きに書くことは「ジャーナリング」と呼ばれ、ストレスの元となるホルモンのコルチゾールの分泌を抑制するという研究結果があります。

小学校のころの夏休みの日記などを思い出すと「めんどくさい」という気持ちになりますし、勉強や仕事で忙しければ「日記をつける暇がない！」と考えてしまいますね。ですが、日記の効果を知らないでいるのは、とてももったいないことです。

4行日記で気軽に書く習慣をつくる

日記に対して悩みや億劫さがあれば、まず「4行日記」をつけることから始めましょう。シンプルに、1日の出来事を4行の文章でまとめるというものです。教育学・経済学博士の小林惠智氏が『1日5分 目的・目標を達成させる 4行日記』（インデックス・コミュニケーションズ）において提唱している手法です。わずか4行で書くだけなので数分間で終わり、負担にならないため、三日坊主になりがちな人も習慣として続けやすいでしょう。

4行日記は「4行で書く」「感想文形式で書く」という2つの点以外は書く人の自由ですが、より気軽に書くにはコツがあります。

▶自分にあった環境や時間にあわせる

以下のように、自分の気持ちが安定する環境で書きましょう。

- 自分に合った筆記用具を使う
- 好きな音楽を聴きながら書く
- 就寝前（または時間に余裕がある時）に書く
- 呼吸を整えて落ち着いた状態で書く

▶書く内容のパターンを知っておく

なんでも書いていいとなると、かえって迷ってしまうかもしれません。

以下のようにパターンを知っておくと、書きやすくなるでしょう。

- 良かったこと・悪かったこと
- 新しくできるようになったこと
- 成功／失敗
- 正直な気持ち
- 我慢したこと
- 感謝すること
- 「衣食住」についてのエピソード（美味しかったお店など）
- テレビや映画

4行にどのような内容を配置するかにもパターンがあります。図は、「事実」「発見」「教訓」「宣言」で4行日記をまとめるものです。

1行目：「事実」（その日の出来事から1つ選ぶ）
2行目：「発見」（出来事からひらめいたことや気づいたことを書く）
3行目：「教訓」（発見から学んだことを書く）
4行目：「宣言」（1〜3行目をふまえて理想とする姿を力強く宣言する）

［「事実」「発見」「教訓」「宣言」で4行日記をまとめる］

事実	
発見	
教訓	
宣言	

「事実」「発見」「教訓」「宣言」で4行日記を書いてみよう

前述の「事実」「発見」「教訓」「宣言」のパターンをふまえて、4行日記を書いてみましょう。

ここでは、「今日はじめて陶芸教室に行った」という例を想定します。

解答例は以下のとおりです。

■ 1行目（事実）

今日は前から関心があった陶芸教室にはじめて行った。

■ 2行目（発見）

１人よりもみんなでワイワイやりながら作るほうが楽しい。

■ 3行目（教訓）

続けることでさらに新しい人や作品と出会が生まれるだろう。

■ 4行目（宣言）

いつか自分の陶芸作品の展覧会を開きたい。

4行日記はシンプルな点がメリットで、しかもさまざまな書き方や組み合わせが考案されています。たとえば、これからおこなう予定のことをあたかもすでに行動したかのように書く「未来日記」（自身の成長のイメージを強化する効果）や、TwitterなどSNSを通じて人に見せることを前提とした「公開日記」（短い文で簡潔に書く練習）などがあります。自分にあった方法で書くと、モチベーションが継続するでしょう。

COLUMN

書くことへの指導法や学習の仕方は まだ標準化されていない

2021年から大学入試センター試験が廃止され、新しく大学入学共通テストが始まります。それに伴い、国語（現代文）で記述式の問題が導入されることになりました。学習指導要領も大改訂され、小中学校から高校までの国語教育では「記述・論理力の育成」が主要な目的となりました。

国語だけではなく、英語や数学の試験にも記述問題が取り入れられることなります。教育学を中心とした学会のシンポジウムなどでは、「おそらくそうした教科の平均点が大幅に下がる」と予測されており、それに関連する研究論文も出されています。おもな原因は、従来のマークシート式の解答ではなく、個人の記述力や論理的表現力が問われるからです。また、その対応としての指導法や学習法もまだ標準化されていないことが指摘されています。

受験生の中には記述問題が苦手と感じている人が少なからずいると思いますし、そもそも「嫌いだ！」という人もいるでしょう。正直に話しますが、私もその1人でした（現在は書くことが中心の仕事に就いているのですが……）。これには、日本の国語教育に原因があるのではないかと思っています。今では少し改善されていると思いますが、私の時代の国語教育は生徒に自由作文や読書感想文などをひたすら書かせるスタイルでした。特に読書や映画感想文などはあらすじを書く者がたくさんいて、決してまとまりのある文章にはなりません。「好きに書く」ことはいいとしても、小中学校の子どもの能力ではどのように書けばいいのかがわからず、時間がかかり、それだけで記述をする学習自体が苦痛になっていまいます。ひいては、人生の早期段階から「記述」に対する苦手意識が植えつけられていることになりかねません。まずは本節で紹介した4行日記など、できるところから記述へ親しんでいっていただきたいものです。

6章
意見する

意見と理由の結びつけ方を理解して話をうまくまとめる

あなたは意見を求められたときに、次のような経験をしたことがありませんか？

「どのように発言するのかとまどった」
「考えをまとめるのに時間がかかった」
「結局、何が言いたいのかわからなくなった」

このような状況が生じてしまうのは、自分の「意見」とそれに伴う「理由（条件・提案）」を結びつけるパターンを理解していないことが1つの原因として考えられます。

意見と理由を結びつける4パターン

意見と理由の結びつけには、いくつかの基本的な「型」があります。どの型であれ、まず「私は賛成／反対」など自分の意見を述べ、その次に理由などを述べます。

▶平行列挙法

おもな理由の数を挙げ、順番に説明することで、聞き手の頭に入りやすくなります。

「私は○○○に賛成（反対）です。それは（おもな理由）だからです」

理由が複数の場合は以下のようになります。

「私は○○○に賛成（反対）です。その理由は3つあります。第一に（理由）、第二に（理由）、第三に（理由）であるからです」

▶重要度序列法

重要度・難易度が高い（低い）ものから順番に述べることで、理由や原因の重要度や程度がわかりやすくなります。

「私は○○○がいいと思います。その場合は、次のような順序ですするといいと思います。最も重要なのは（　）、次に大切なのは（　）、最後に補足的ではありますが（　）……だからです」

▶比較提示法

1つまたは複数のものを比較することで、重要なものとそうでないものを浮き彫りにする効果があります。

「私は□のほうを支持します。その理由は、□と△を比べると（理由）と考えられるので、□のほうが正しいと判断されるからです」

▶仮定法

実際には起こっていないが可能性のある状況などを仮定して、そこから正当性を導きます。相手の意見の背後の状況を変えることで、起こりうる結論を示唆する効果があります。

「私は○○○が正しいと思います。なぜなら、もし（仮定の状況）ならば、（理由）になると考えられるからです」

平行列挙法を使って意見をまとめてみよう

ノートパソコン型とデスクトップ型のパソコンはどちらが初心者に向いているか、次の意見を平行列挙法を使ってまとめてみましょう。

「デスクトップ型パソコンはノートパソコン型よりも大きく場所を取りますが、その分画面もキーボードも大きく、ドキュメントを作成する際に初心者にとっては使いやすいですし、映画を見たり、ゲームを楽しむ時に迫力があります。また同じ性能ならば、デスクトップ型はノート型よりもかなり経済的な価格で買うことができます」

【解答例】

初心者がパソコンを買うなら、ノートパソコン型よりもデスクトップ型のほうがいいと思います。その理由として、3つ挙げられます。

1つめは、画面とキーボードの見やすさです。デスクトップ型はノートパソコンよりも大きく場所を取りますが、その分画面もキーボードも大きく、初心者にとっては使いやすいです。

2つめは、映画やゲームを楽しむときに迫力があります。

3つめは、価格です。同じ性能ならば、デスクトップ型はノート型よりも経済的な価格で買うことができます。

以上の理由により、初心者にはデスクトップ型のパソコンを勧めます。

発言のタイミングをふまえて最適な効果を狙う

人前で意見を述べる際に、ただ自分の考えを述べるだけではなく、発言するタイミングや状況によって意見の内容や機能を変えることがあります。次の3つの方法があります。

先手必勝法：かんたんな意見で口火を切る

複数人に対して意見が求められ、「自分は意見を言うのは苦手だが、必ず発言しなければならない」という場合は、できるだけ早い順番でかんたんな意見を述べましょう。最初に意見を述べることは勇気が要りますが、かんたんなものであったとしても「発言」そのものに意義があり、そのことで周囲が意見を出しやすい状況になります。

発言の内容が場の状況とマッチしている場合には、「初頭効果」が期待されます。初頭効果とは、ポーランド出身の心理学者であるソロモン・アッシュが提唱した概念で、「人は相手を第一印象で認識する傾向がある」というものです。たとえば、実験で「知的、勤勉、衝動的、批判的、頑固、嫉妬深い」という順で示された人物の印象を尋ねると「好印象」を覚えたのに対し、反対の順番（「嫉妬深い」が先）では「悪い印象」であったという実験結果になっています。

中間中継ぎ法：他者の意見を受けて次につなげる

話し合いの前半で出た意見を一度まとめて、新たな展開につなげるためのテクニックです。たとえば、学会のシンポジウムの中盤で同じテーマで議論が長引いたり、堂々巡りになった時など、司会が話題を転換することがよくありますが、その際に

「ここまでは、〇〇〇についての議論が進められてきました」

といったんそれまでの議論をまとめて、次に

「それでは、この問題を□□□の観点から見た私の意見を述べさせていただきます」

と短く発言し、次につなぎます。決められた時間の中で、できるかぎり多様な意見を引き出す時にこの方法が有効です。

ラップアップ法

これは会議などの終了時に見られる話法で、意見慣れした人がよく用います。議論の終了時に、全体をふりかえり、論点を整理して、何が明確になったのか（ならなかったのか）などを確認したうえで、今後の展開の可能性について意見を述べることによって締めくくります。

ラップアップ法では、話し合いを最初から最後まで集中して聞いていなければならず、またそれをまとめて周囲にわかりやすく説明する高度な能力が必要となります。そのため、まずは中間中継ぎ法を練習してからおこなってください。

フィードバックで
相手の目標達成に貢献する

相手の目標達成に向けた行動や計画の軌道修正をしたり動機づけをしたりするために意見を述べることを、フィードバック（feedback）といいます。フィードバックの「フィード」はfoodを語源とする「feed」であり、「食べ物」を意味していて、「人の成長」を促進することが目的とされています。

フィードバックを効果的にする4つのエッセンス

単に相手に意見を述べるだけではフィードバックにはなりません。「相手の目標達成に有益な意見を与えたか否か？」が、フィードバックの重要な要素です。フィードバックを効果的にするには、4つのエッセンスがあります。

▶目的・目標との結びつき

フィードバックの基本は、目的や目標達成に向けて、建設的な意見を与えることです。目標に関連づけてフィードバックをおこなわなければ、その取り組み自体の「良い・悪い」や「できる・できない」の評価ができず、どのような方法をとるのかがわからなくなります。

▶具体性

効果的にフィードバックをするためには、曖昧な言葉や表現ではなく、可能な限り具体的な言い方をすることが不可欠です。たとえば

「あなたのプレゼンはよかったよ」

などと漠然と伝えるのではなく、

「君のプレゼンは、アイデアがよく整理されていて、聞いている人たちの関心を引きつけていました。パワーポイントのデザインや使い方も効果的で見やすかったです」

と言ったほうが、相手に具体的にどこがよかったのか、今後はどうすればいいのかという意見が明確に伝わります。

▶実行可能な提案をする

相手のキャパシティをはるかに超えていて実現しそうにないフィードバックは、相手に余計な負荷を与えてしまい、逆効果です。たとえば

「1週間で英単語を30000覚える」
「1日で数100ページの報告書を作成する」

などは非現実的でしょう。

▶タイムリーにする

フィードバックは、対象者が取り組みをすでに始めていて、ある程度の結果や成果が出た時に、速やかにおこなう必要があります。取り組みの後の時間が経つほど、行動に関する記憶やデータが失われ、効果は激減していきます。

ペンドルトン式フィードバックの進め方

心理学者ペンドルトンは、話し手が一方的に現状や改善点など内容を伝えるだけでなく、相手といっしょにお互いに反省と気づきを促しながら次のアクションを考えていくフィードバックの型を開発しました。具体的には、次のように進めます。

- 目的・目標を明確にする
- 良かった点・うまくいった点について話す・高く評価する

■ 改善点について話す・改善方法を伝える
■ 改善・変更するべき行動について検討し、お互いに合意する

このプロセスに沿って進めたら、最後は実施したフィードバック全体をふりかえります。そして、フィードバックによって「良い点・改善点が明確になったのか」「軌道修正や次のアクションについて合意がなされたか」「モチベーションが上がったか」などについて話し合い、次の回に生かすようにします。

フィードバックシートを用いてフィードバックしてみよう

親しい友人や同僚、家族といっしょに、フィードバックの練習をしてみましょう。

まずは、あなたがフィードバックの実施者になって、相手の目標達成や現在抱えている問題について意見を述べましょう。以下のフォーマットを参考に進めてください。

▶ 1 「期間」「目標」を確認する

(「1か月後に実施するプレゼンテーションが上手にできるようにしたい」など)

▶ 2 目標達成のために「やったこと」を確認する

(「プレゼンテーションスキルの本をたくさん読んでいる」など)

▶ 3 「困っていること」について話し合う

(「スライドは作成できたが、プレゼンテーションがうまくいかない」など

▶ 4 考えられる原因を推測して、「気づき」として共有する

(「パワーポイントの作成や操作に気を取られすぎているかもしれない」など)

▶ 5 「フィードバック」をする

(「良い点は時間をかけて丁寧にパワーポイントを作成できていること。改良

点として考えられるのは、作成に時間がとられすぎている、1枚のスライドに工夫をしすぎていること」など）

▶ **6 これから改善するために「やること」について話し合う**

（「今後は、パワーポイントの作成にかかる時間を減らして、プレゼンに必要な声の出し方、間のとり方、視線の配り方などを実際に練習しながらスキルアップする」など）

備考には、以下のような点を率直に話し合った結果を記しましょう。

- フィードバック全体をふりかえって、受け答えのバランスがよかったか
- 問題点の指摘で、お互いにストレスはなかったか

［フィードバックシート］

期間	～
目標	
やったこと	
困っていること	
気づき	
フィードバック	
やること	
備考	

目標達成のための3つの意見

相手の目標達成のための意見には、フィードアップ、フィードバック、フィードフォワードの3種類があります。

1 フィードアップ：目的・目標の確認

実際にフィードバックをする前に、「何を」「いつまでに」「だれと」「どの程度」達成するのかを明確にしておきます。前もって決めていた目標に照らし合わせてフィードバックすることで、もし適切な方向に進んでいなかったり、停滞しているなどの状況が確認できたら、軌道修正の機会を持つことができます。

可能ならば、フィードバックに関わる人以外からも目標の設定状況について話を聞いておくといいでしょう。

2 フィードバック：経過のふりかえり・評価

目的や目標の達成に向けて、以下のような点をふりかえりながら意見を出します。

- どのような行動をしているのか
- その中で評価できる点は何か
- 以後に改善すべき課題は何か

相手が目標までのプロセスの中で今どのあたりにいるのかを理解してもらい、目標達成のために必要な情報や手段を与えるようにします。

3 フィードフォワード：次の手段や目標の検討

未来に向けて次にとるべき手段や方法を検討することです。まずは、設定した目標から逆算して今何をするべきかを考えます。その際、ヒト、モノ、お金、時間といった制約を意識せずに考えましょう。そして、複数の選択肢の中から最大限の効果が期待できる方法を選択し、実際の計画に反映させます。

CER話法で反対意見を述べる

相手の考えに賛成の立場で意見を述べるときは、さほどストレスを感じないでしょう。ですが､もし反対意見を出すとなるとどうでしょう。

「こんなことを言ったら相手の気分を害するのではないか？」
「言ったら怒られそう……」

など、意見をためらってしまうことがあるのではないでしょうか。

また、話し合いを充実したものにするために反対意見を積極的に出していくことは重要ですが、個人攻撃や感情的な反論はその場の雰囲気を悪くするだけです。他者の考えと異なる視点からの意見を出すことは、侮辱や無用な口論などとはまったく違った次元のものです。

相手に反対意見を伝えることには勇気が必要でしょう。ですが、反論の作法をきちんと学べば、反論することへの心理的なバリヤーが消えます。そして、人と違う意見を言う習慣が身につくと、まわりがあなたに一目置くようになるはずです。

歴史の教科書などに登場するイギリスの政治哲学者スチュアート・ミルは、自分の意見に反対する空気をつくること、もしくは反対する自由を認めることは「全知全能でない人間が自分の意見が正しいといえる合理的な保証を得るための仕組み」としています。

著名な経営学者であるP・F・ドラッカーは、著書『経営者の条件』（ダイヤモンド社）の中で、「意見の不一致」は次の3つの理由から必要であると主張しています。

- 特定の意見に固執・流されて「組織の囚人」になってしまうことを防ぐ
- 反対意見によって選択肢を増やせる

「ワンクッション」「具体例」「理由」の3ステップで反意を伝える

反対意見を述べるとき心に留めておかなければならないのは、「言い合いで勝つ」「理屈を通して説き伏せる」という考えを持たないことです。それでは、たとえ議論で勝ったとしても、相手は本心から納得してはくれません。また、その後の人間関係に影響が出てしまうこともあります。人は「他者に説得」されて同意するのではなく、「自分で納得」した時に同意するのです。

そういった人間心理をとり入れた反論法に「CER話法」があります。コミュニケーションスキルの専門家である箱田忠昭氏が著書『いつも「うまくいく人」の反論の技術』（すばる舎）で紹介している方法で、Cushion（クッション）、Example（具体例）、Reason（理由）の頭文字をとったものです。次の3つのステップで反意を伝えます。

▶ 1 クッション言葉で反対を和らげる（C：Cushion）

相手の意見にすぐに反対するのではなく、まず次のような言葉を使って雰囲気をクッションのように和らげます。

「失礼ですが」
「申し上げにくいのですが」
「お言葉を返すようですが」

状況に応じて自分が使いやすいクッション言葉を覚えておいて、相手に反対意見を述べたり、反対されたときなどにすぐに口から出るように練習しておくといいでしょう。

▶ 2 具体例で説得力を高める（E：Example）

クッションで相手の意見を受けたら、今度は自分の主張を裏づける「具体例」を話します。それらを伝えることで、相手に「なぜだろう？」「もっとくわしく聞きたい」と思わせることがポイントです。自分に具体例がなければ、信頼できるデータ、著名人や知識人の発言やエピソードなどでもいいでしょう。数字が入っているデータであれば、さらに客観性が得られます。

【例】

「国連で発表されている調査データによれば……」
「先日、新聞に掲載されていた記事には……」
「オックスフォード大学のグッドマン教授の考えでは……」

▶ 3 自分の主張の理由を述べる(R:Reason)

相手が興味を示したところで、自分の反対意見の理由を述べます。ただし、その理由は相手のニーズや希望に沿ったものにします。

また、できる限り攻撃性や敵対心をなくすことが大切です。「違う見方がある」「別の提案がある」というように伝え、あくまでも「目指すゴールは同じ」であるという気持ちをアピールしていくことで、反対の強さを和らげることができます。

ただし、過剰な気遣いや自己弁護などをだらだら話して前置きが長くなってしまうと、相手をイライラさせてしまいかねません。相手の気持ちに配慮しつつ、言いたいことは端的に話すようにしましょう。

また、ちょっとした表現の工夫で、相手への伝わり方もずいぶん変わります。たとえば、「早く決めてください」より「もう少しかかりそうでしょうか？」と疑問形にするほうが柔らかく響きますし、「大雑把ですね」ではなく「大胆ですね」と言うほうが相手を評価している印象を与えます。

NG会話をCER話法を使って修正してみよう

CER話法を参考にして、次のNGの会話例を修正してみてください。①②③に文を入れて、会話を膨らませてみましょう。

【NG例】

相手「あなたの提案は無理があるんじゃない？」

自分「いえ、とにかくやってみましょう。絶対大丈夫です！」

【OK】

相手「あなたの提案は無理があるのではないでしょうか？」

自分「　　　①　　　」（クッション言葉を入れる）

相手「どうしてそう思うのですか？」

自分「　　　②　　　」（具体例や成功例）

相手「もう少しくわしく聞かせてください」

自分「　　　③　　　」（理由と提案）

【回答例】

①「申し上げにくいのですが、現時点ではこの提案が最も適切だと考えられます」

②「教育社会学の最新データによると、不登校の予防には○○○することが最も効果があったとする意見が80％以上になっているからです」

③「承知しました。信頼できる調査データに加え、現在、地域のA校で実施されている取り組みは不登校に関する一定の効果をあげていることが認められていますので、本校でも同じ措置をとることを提案します」

COLUMN

意見を出すことの意義

そもそも、意見を出すことの意義とはなんでしょうか？　言葉と社会の関わりを研究する言語学の分野の1つである社会言語学によると、相互に意見を出し合うことには次の機能があるとされます。

①複数の人々の間での情報交換
②何らかの合意形成
③考えの補足
④アイデアの拡張
⑤矛盾や誤りの認識

つまり、相互の意見を通じて合意を形成することで、心理的な信頼感の構築・維持につながるのです。もし意見が積極的に出ない状況であれば、信頼が築けず、一方的な考え方だけが蔓延しやすくなり、多様な意見を受け入れにくくなってしまうことで、生産性の低い環境になるでしょう。

比較教育学では、私たち人間は自分1人だけでは決して自分を理解できず、相手との「比較」を通じて自分を捉えることができる、とされます。自分の言動に対して相手がどのように反応するのかをお互いに読み取ることによってはじめて、自分の特徴を社会的なものとして理解できるのです。世の中で唯一の存在であっては、比較するものがないので区別できず、「自分」という概念は生じえません。私たちは、お互いの意見を伝え合うことで自然と「比較される（する）」営みに置かれているのです。

余談ですが、私のゼミではテーブルの上に数字の「6」を置いて、学生にそれを取り囲んで眺めるようにしてもらっています。正面からは「6」ですが、反対側からだと「9」、横から見ると吹き出し記号のように見えます。どこに視点を置くかで、物事は100％「正しい」「同じ」わけではないのです。

コンフリクトマネジメントで意見の衝突に対応する

「自分自身が生まれる前に起こった母国の不正を謝罪する意味はあるのか？」

私のゼミでは、先住民への侵害や第二次戦争時代の補償問題などについて、学生をグループに分けて意図的に意見を対立させながら議論することで知識を深める取り組みをしています。また、そうした意見対立がなぜ生じるのか、そのような状況に対してどのような言動をすれば無益な言い争いを回避できるのかについて教えています。

普段は上手に意見が言える人も、相手と自分の考えやゴールが食い違う場面では激しい対立に直面してうまく意見を言えないことがあります。相手も自分も得をするといったWin-Winのコミュニケーションスキルが評価されることもありますが、実社会ではそれだけでは解決できないケースもたくさんあります。

意見が対立する原因となる3つの「ズレ」

そもそも、なぜ意見の対立が生じるのでしょうか。社会言語学の談話分析法に基づいた研究によると、ほとんどすべての意見の対立は3つの「ズレ」から生じるとされます。

▶ 1 前提理解のズレ

ある事柄について自分と相手が持っている情報量が異なるために生じるズレ。本人は合理的に説明しているつもりであっても、なぜそうなっているのかの説明が不十分だと、相手に疑問や誤解を持たせてしまいます。

▶ 2 期待するゴールのズレ

「何のために」「何を目的としているのか」などについて、自分と相手の間で希望や見込みが違っている場合に生じるズレ。相手が最終的に求めていることにもし何か問題が含まれていることが明らかな場合は、まずはそこを丁寧に説明する必要があります。

▶ 3 不確定な事柄に対する推測値のズレ

①と②のズレを解消し、お互いに自分たちが持っている最大の情報を出し合って議論しても、将来起こりうるリスクがまったくなくなることはありません。

対立は悪ではない ～タックマンモデル

人は意見が対立したときに不快に感じるのは、「対立する状況自体が悪いものである」という考えがあるからです。しかし、意見の対立から思わぬアイデアが生まれたり、対立が最終的な結果のクオリティを高める糧となることがあります。意見の衝突を恐れて、当たり障りのない話し合いになってしまうと、そもそも意見を出すという機能が本末転倒になりかねません。

アメリカの心理学者であるタックマンは、集団が意見対立などを経て発展する過程を「タックマンモデル」として表しています。タックマンによれば、メンバーの間で考え方が対立する場合があっても、目標達成のプロセスに必要不可欠な要素であると捉えられています。優秀な集団のチームワークは一朝一夕で形成されるものではなく、このような過程を経てできあがるものだと認識しておくことはとても重要です。対立をネガティブに捉えるのではなく、「お互真剣に話し合っている」「1つの問題をともに解決しようとしている」と言葉や態度で伝えあうと、気持ちが前向きになり、「白熱した話し合い」をしているという実感に変わります。

［タックマンモデル］

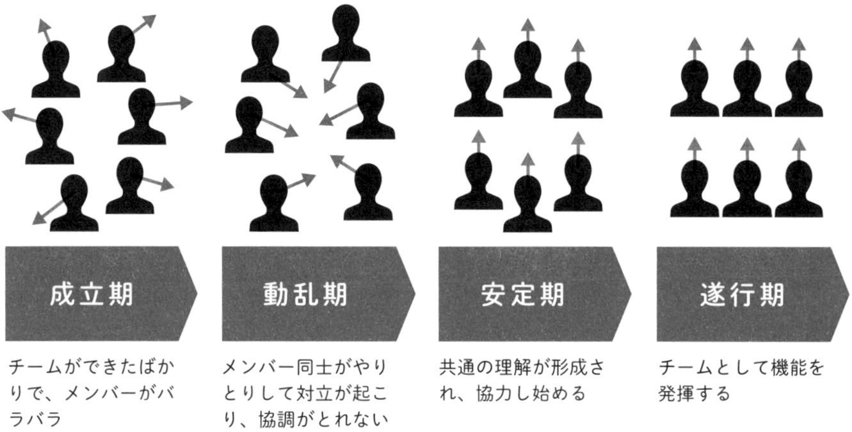

「トーマス－キルマン　コンフリクトモード検査」で対立への態度を確認する

意見や利害の衝突、葛藤、対立といったことを「コンフリクト」といいます。学校や家庭、仕事場などあらゆる場面で日常的に発生するコンフリクトを正しく理解し対処することによって、緊迫した状況を回避し、コミュニケーションを円滑にさせることをコンフリクトマネジメント（利害調整・対応）といいます。

あなたは、相手と意見が対立したとき、どのような態度をとりますか。まずは、以下でセルフチェックをしてみましょう。

▶ 1 相手と意見が食い違ったときにあなたがよくする言動はどれでしょうか？

A. 自分の意見を受け入れてもらおうと、さらに努力する
B. 自分の意見を控えて、相手に合わせる
C. お互いもっとよく話し合って、さらにいい方法をさぐる
D. その場では話し合わず、後にしてもらう
E. 自分の意見を部分的にでも相手に受け入れてもらうよう説得する

▶ **2 最近だれかと意見の対立したとき、どのような結果になりましたか？**

A. 自分の意見が正しいことを強調し通した
B. 妥協して、相手の意見に従った
C. 時間をかけて話し合い、納得できる結論に達した
D. まだ解決していない
E. お互いの意見がちょうど半分ずつになるように調整した

▶ **3 どんなときに、不快を感じましたか？**

A. 自分の意見が通らなかったとき
B. 相手に悪いことを言っていると思ったとき
C. 話し合いの時間が足りていないと感じたとき
D. 自分が忙しいときに、話し合う時間をとられるとき
E. 自分の意見が全部通らなかったとき

これは、「トーマス－キルマン コンフリクトモード検査」に基づいています。心理学者のトーマスとキルマンが開発したもので、人が対立したときに取りうる言動について次の5つのモードに分類しています。

A. 競争モード ⇒ 相手に強制・指示し、自分の意見を押し通して解決
B. 受容モード ⇒ 自分の意見を抑えて相手の意見を受け入れて解決
C. 協調モード ⇒ お互いの立場を尊重し、Win-Winの関係を目指して協力しながら解決
D. 回避モード ⇒ その場で解決しようとせず、意見が対立する状況そのものを回避
E. 妥協モード ⇒ 互いの要求水準を下げて、部分的な実現を図る

さきほどのチェックでAが多かった人は「競争」、Bは「譲歩」、Cは「協調」、Dは「回避」の態度をとる傾向が強い可能性があります。また、Eの「妥協」は、BとCの中間的な状態で取られるでしょう（ただし双方の満足度は低い）。

Cの「協調」かEの「妥協」が望ましいと思うかもしれませんが、それぞれのタイプに優劣はないとされます。大切なのは、自分の意見出しの傾向を

自覚したうえで、場面に合わせてそれぞれを「使い分ける」ことです。さきほどの3つのチェックリストで「そのときによって違うな」と感じた人は、すでに使い分けができている可能性が高いでしょう。

コンフリクトモードを使い分けてみよう

意見が対立してしまった時、「トーマス－キルマン コンフリクトモード」ABCDEのモードをどのように使い分けるのがいいのでしょうか。シチュエーションに応じて適切なものを考えてみてください。理由も考えましょう。

①デートで今回はイタリアンと中華レストランのどちらかに行くことにした。相手はイタリアンを選び、自分は中華に行きたいと思っている。値段はイタリアンのほうがはるかに経済的である。

②今すぐ飼う予定ではないが、家族間でペット犬をトイプードルにするかビーグルにするかで意見が対立し、険悪なムードになっている。

③病院嫌いの友達が捻挫をしたといっている。医学書によれば、そのケースの捻挫は安静よりもすぐに医師にかかったほうがいいと書かれていることがわかった。

④相手と自分が快適な環境で生活するためには、どんな場所にするのかなどをじっくり話し合う必要がある。

⑤週末はサークルのメンバーでスポーツイベントをすることが決定している。女子たちはテニスがしたいのだが、男子たちは野球をしたいと言っている。両者とも、主張を取り下げるようとする気はいっこうにない。

【解答例】

▶ 1 受容

「本当は自分の意見を通したいんだけど、今回は……」というニュアンスをセットにして、次回の相手の譲歩につなげます。

▶ 2 回避

感情の沈静化を待ったほうがいいことや、しばらく様子を見てから決めたほうがいい時は、回避が有効です。

▶ 3 競争

明らかに自分の意見が相手のためになる場合、スピードを要するケースなどでは、主張のモードを選びましょう。

▶ 4 協調

内容が重要であり、お互い納得が必要な事柄については、じっくりと話し合って決めてください。

▶ 5 妥協

週末まで時間的余裕がないので、両者が希望するスポーツを選ぶのではなく、互いが妥協して別の選択肢を検討してください。

5つのコンフリクトモードのいずれを使うにしても、常に次の点を注意してください。

- 反射的に言い返さない
- 「自己主張」と「他者受容」のバランスを調整する

意見が対立して言い争いになった場合は、まず自分にブレーキをかけます。「売り言葉に買い言葉」ではヒートアップするだけで、対立が深まるばかりです。まずは自分が冷静になることで、相手の心の状態も落ち着くでしょう。

また、「自己を主張する度合い」が強すぎると、たとえ自分の思いどおりの結果となったとしても、相手を不快にさせてしまうことがあります。一方で、「他者を理解しようとする度合い」が強すぎても、自分が「負けた気になる」ことや相手に「甘く見られる」などの状況が生じてしまいます。

この2つを常に意識してバランスをとることで、よりよい会話につながっていきます。

COLUMN

ポライトネス理論

社会言語学には、会話における言葉づかいと人間関係を分析する「ポライトネス理論」があります。ポライトネスは丁寧さを意味します。ポライトネス理論は、イギリスの言語学者ブラウンとレビンソンによって提唱され、どのような言葉づかいや話し方をすれば相手の気持ちを傷つけないのかを説明しています。日本語と外国語の比較分析、医療現場での患者と医師の談話の研究など、さまざまな分野で用いられています。

ポライトネス理論の中心的な概念に、「フェイス（面子）」があります。フェイスは会話における人の2つの承認欲求を示しています。

- ポジティブ・フェイス → ほめられたり認められたりしてうれしい
- ネガティブ・フェイス → 踏み込まれたくない

ポライトネス理論では、こうした相手の2つのフェイスを保てるように受け答えすることで、相手にいい印象を与えられると考えられています。たとえば、私が学生に「あなたの意見はとても大切です」と言えば、相手のポジティブ・フェイスを保って自分の意見を伝えていることになります。一方で、「君の意見は研究者の言葉のそのまま繰り返しているだけでしょう」というのは、学生に発言の自由を奪っていると解釈されるため、ネガティブ・フェイスを侵食するおそれがあります。どれだけ丁寧な言い方で意見を述べても、「フェイス」を損ねてしまうと相手はあまりいい気持ちはしないでしょうし、信頼関係を築くことも難しくなってしまいます。

7章
質問する

「あ・い・う・え・お」を使って質問を考える

「質問」の意義は、太古の時代から、哲学や修辞学などで認められています。古代ギリシャ哲学における「弁証法」という他人と議論する技術では、相手に質問する力が重視されていました。日本の学校では授業中に生徒が教師に対して質問することはあまりありませんが、海外では教師が話をしている時でも積極的に質問する姿勢が高い評価を受けます。

人は質問を受けると物事を考え始める

質問のおもな目的は「自分の頭の中の問題や疑問をはっきりさせる」ことですが、比較教育学ではそのほかにも以下の効果があるとされています。

- 情報を共有する
- 考えるヒントを得る（与える）
- 解決策を見つける
- 思い込みを解消する
- 確認する
- 選択する（させる）
- 要求する

特に大切なことは、人は質問を受けると物事を考え始めることです。たとえば「プレゼンテーションのテーマ、どうしましょうか？」とたずねてきたゼミの学生に、

「どのようなテーマがいいと思いますか？」
「今、教育問題で関心のあることはない？」

などと質問すると、学生は「そういえば、いま教育の不平等に関心がある」と考え始め、必要な情報や解決策を見いだそうとします。

「論文を書いていると、いつもつまずいてしまって、まったく進まないんです」という人には

「本当に？　一度ぐらいはうまく書けたことはないですか？」
「だれと比べて？」

のように問いかけると、

「いつもではないかも……」
「ほかの人はどうなのだろう？」

などと思い込みから気持ちを切り替えてもらうことができます。

「どのように問いかけるか」を工夫することで、相手の考え方をより明確に理解したり、新しいアイデアを引き出せるなどの効果が得られます。

なぜ質問しない、質問できないのか

「聞きたいことの一部しか伝わらない」
「もっと上手に質問したい」

あなたもそう思ったことはないでしょうか。

私は大学1年生を対象にした「基礎演習」という授業で質問の仕方について教えているのですが、質問慣れしていない人には以下のような特徴があります。

▶質問すべきことが見つからない（質問の仕方がわからない）

授業や会議が終わって質疑応答の時間になると、みんな黙りこくってしまうのはよくあることです。話し手は事前に準備しているのでどのような

質問がくるのか想定できますが、聞き手はそうではないので、何を質問したらいいのかわからないままに終わってしまうのです。

▶質問する勇気がない

話を聞いていてよく理解できないことがあっても「こんなことを聞くのは失礼になるのでは？」「こんなことを聞くのは恥ずかしい」と思い、質問を躊躇してしまう場合があります。

▶要点が定まらない

質問をするのが得意であっても、質問する時間が長くなったり、喋っているうちに本人が何を聞きたかったのかよくわからなくなってしまう場合もあります。「こうも考えられる、こんな事例もある……」というように、意見なのか質問なのかがわからず、結局質問を受けた側が何に答えればいいのかとまどってしまうのです。

すべてに共通する問題は、ただ「聞いているだけの状態」になっていることです。問いを声にしたとしても、内容が不明確ならば、質問の効用を十分に活かしているとはいえません。

「あ・い・う・え・お」で すぐに質問できるようにする

なにか質問を求められた時にすぐに発言できるようにするためには、基本的な質問の型を心得ておくと安心です。次の「あ・い・う・え・お」を使って質問を考えてみましょう。

▶あ：as（〜として）

相手の立場や状況から考えを問います。「あなたはどう思いますか」と問うのではなく、

「留学生の立場としてどう思いますか」
「営業の担当者としてどう思いますか」

「母親としてどう思いますか」

など、相手の立場を明確にして問うのがポイントです。

▶い：if（もし〜だったら）

「もし〜だったら」という視点で発想の転換を問います。現実の状況だけではなく、「仮の状況」を想像し、推察してみることで新しい発想が得られます。質問が出尽くしてしまったと思う時に特に有効です。

▶う：until（〜までに）

いつからいつまでか、期限の設定を問います。何か提案されて決定されたとしても、期限を決めなければ、いつ実行し、やり遂げたらいいのかが不明確である場合があります。

▶え：either（どちらか）

対象となるモノやテーマを1つの選択肢で検討するのではなく、別のものと比較してみた場合を想定して問います。比較することで、それぞれの特徴がはっきりしたり、メリットやデメリットが判断できたりします。

▶お：opposite（反対）

物事を正反対の方向から問います。何か案が出たら、その良い面・悪い面の両方を問うことで、新たな視点が得られます。

普段は話の流れで何気なく質問を投げかけている場合も多いと思いますが、この「あ・い・う・え・お」の型を覚えておくと、とっさに質問されたときにすぐに発言できます。日頃から練習しておくといいでしょう。

『日本の教育を研究するイギリス人の学者に「あ・い・う・え・お」で質問してみよう』

「日本の教育を研究するイギリス人の学者が以下の意見を述べていて、それに対して質問する」という設定で質問を考えてみましょう。

> “日本の学校教育には、諸外国と大きく異なる部分があります。それは、教師の子どもへの関わり方です。イギリスでは、教師の仕事は「授業」をすることだけですが、日本では、教師が授業だけでなく、生活指導や部活指導までおこなっています。さらに、通学路での安全確保や夜の巡視指導といった学校外での子どもの活動にまで教師が対応しているのです。また、日本の教師は毎日、報告書などをその日のうちに書かなければならないと言われています。

【解答例】

あ：As「あなたはイギリス人の研究者として日本の教師の働き方をどう思いますか？」

い：If「もしイギリスの教師が日本の教師のように働くことになればどのようなことになりますか？」

う：Until「イギリスでは教師はいつまでに日誌を書けばいいのですか？」

え：Either「イギリスと日本の教師の働き方は、どちらが世界標準なのでしょうか？」

お：Opposite「日本の教師が部活動などにまったく関わらないとするなら、どのような代替案が考えられるでしょうか？」

COLUMN

話を広げる・深める質問は、理解・情報共有の質問のあとで

社会言語学では、質問には2つの種類があるとされます。

①相手の話を受けて、内容を確認したり、説明不足のところを補うよう促して、理解や情報をほかの聞き手も含めて共有するための質問

「この部分がわかりません」
「もう少しくわしく教えてください」
「私は〇〇と思ったのですが、それでよろしいでしょうか？」

②話をさらに先に広げたり深める質問

「〇〇については今後どう考えればいいと思いますか？」

もし聴衆が複数名である場合、あなたが②の質問からしてしまうと、「話の内容がちょっと難しいなあ、よくわからないなあ」と思っているほかの人が①の質問をするタイミングを失ってしまいます。質問する順番には注意しましょう。

質問の型を使い分けて回答しやすくする

オックスフォード大学の特徴の1つが、学生と教授が問答しながら知識を深めていく「チュートリアル」をおこなうことです。チュートリアルでは、発言の自発性を引き出すためのよりよい対話の状況づくりと、的確な質問をして積極的に受け答えすることが求められます。

たとえば、教授は学生の現状把握が甘いと思えば、問題をはっきりさせるために、物事を具体的にとらえて概念化するための質問を投げかけます。また、行き詰っている学生には、視点を変えさせたりモデルを探す手助けになるような質問をして、学生の考えを喚起させ、気づきを促します。双方が質問をくり返すことでひらめきが生まれ、思わぬアイデアに発展して、一気に道が拓ける場合があります。

逆に、状況に応じて適切な質問がなされなければ、いっそう相手を混乱させたり、場の雰囲気を悪くしたりすることがあります。学習や仕事中、相手の問題を聞き出したり、相手に選択の判断をしてもらう場面では、状況に合わせて適切な質問をしなければ、答えに窮するなど話し合いの効率が悪くなってしまいます。そうした問題を防ぐには、「オープンクエスチョン」と「クローズドクエスチョン」の2つの質問パターンを使い分けることです。

2つの質問の型のメリットとデメリット

オープンクエスチョンは、質問された相手が「はい」「いいえ」だけでは答えられない質問のことです。

「これについて、どう考えますか？」
「今後どのような計画を立てていますか？」

などのように、相手が答える範囲に制約を設けず、自由に答えてもらいます。

一方、クローズドクエスチョンは、相手が「はい、いいえ」の二者択一や「A or B or C」の三者択一などで答えられるような、回答範囲を狭く限定した質問です。

2つの質問の型のメリットとデメリットを比較すると、次のようになるでしょう。

［オープンクエスチョンとクローズドクエスチョンの比較］

観察方法	オープンクエスチョン	クローズドクエスチョン
相手の心理的な障壁	高い	低い
回答の予測	難しい	かんたん
回答に期待できる情報量	多い	少ない
メリット	■ より話し合いを深めたい ■ 情報を引き出して会話を広げる ■ 比較的少ない質問回数で正解にたどりつける ■ 相手の回答に多様性が見られる	■ すぐにはっきりした回答を得やすい ■ 質問を作るのがかんたんで、数多く聞くことができる ■ 質問者が期待している回答がもらいやすい
デメリット	■ 質問を思いつくのが比較的難しく、表現に工夫が必要 ■ 質問によっては相手が考えてしまい、悩んでしまうことがある	■ 欲しい答えにたどりつくまでに時間（回数）がかかる ■ 聞き手が主導権を持つことで尋問されるような感じがする

2つの質問は、それぞれを多用したり、混同したりすると、相手を不快にしてしまうことがあります。

オープンクエスチョンは、選択肢が多すぎる質問をすることで、相手に考えさせつづける、説明させつづけることになるので、心理的負担をかけてしまうことがあります。そのため、5W1H（いつ／どこ／だれ／なに／なぜ／どうやって）を用いるなどして、答える範囲をある程度限定すると答えやすくなります。

クローズドクエスチョンも、多用すると会話が広がらない、相手を尋問して追いつめてしまう、無理に意見を誘導させるよう感じさせてしまう場合があります。また、聞き手が主導権を握れる一方、答える側の主導権を奪い、不満を抱かせる可能性があることに注意してください。

以下では、2つの質問のそれぞれの特徴や効果的な使用場面などについて見ていきましょう。

オープンクエスチョンが効果的な状況

オープンクエスチョンは、回答の自由度が広がるため、相手の答えに対してさらに質問することもできます。その結果として、次の話題へとつなげることも可能になります。以下のような場面で使うのが効果的です。

▶アイスブレイク

「あなたの趣味はなんでしょうか？」

▶ニーズを探る

「将来の進路に関してどのような目標や課題を持っていますか？」

▶追加情報を得る

「今後レポートを書き進めていく際に、どのような情報があればよろしいでしょうか？」

「もう少しくわしく教えていただけますか？」

クローズドクエスチョンが効果的な状況

クローズドクエスチョンは明確な答えが得られるので、事実を確認したいときや、相手の意思を確認したいときに使うと効果的です。質問される側にとっても、基本的に「はい／いいえ」の二択で答えられるため、心理的な負担が少ないのが利点です。

▶ **相手の同意を得ながら話題を運ぶことができる**

「現在直面している悩みは、○○○でいいでしょうか？」

▶ **会議などで話題をコントロールする**

「もし質問がなければ次のテーマに移りますが、よろしいでしょうか？」

▶ **クロージング**

「次回のミーティングは、来週の水曜日と木曜日ではどちらにしましょうか？」

クローズドクエスチョンとオープンクエスチョンで相手の考え方を明確にしてみよう

ここでは留学をテーマに、クローズドクエスチョンとオープンクエスチョンで相手の将来の目標をはっきりさせてみましょう。

▶ **クローズドクエスチョン**

「あなたは留学がしたいのですね？」

「はい」

「それは英語圏の国ですか？」

「はい。英語で授業が受けられる国に行きたいです」

「留学に必要な国際英語試験で十分なスコアを取得していますか？」

「はい、すでに取得しています」

「専門領域は決まっていますか？」

「いいえ、まだはっきり決まっていませんが、教育学を学びたいと思っています」

「教育学についてこれまで勉強したことがありますか？」
「いいえ、ただ留学するまでにある程度の知識を身につけたいと考えています」

「留学に必要な経済的準備はできていますか」
「はい、奨学金制度に採用される可能性が高いです」

▶ **オープンクエスチョン**
「あなたはどこに留学したいですか？」
「英語圏の国々に関心があります」

「いつからその国々に関心を持ちましたか？」
「大学に入学してからです」

「英語圏のどの国に留学したいですか？」
「まだ迷ってますが、現時点ではイギリスに留学したいと考えてます」

「なぜイギリスに関心があるのですか？」
「イギリスの文学について研究を進め、卒業論文を書きたいからです」

「どの作家を研究したいと思っていますか？」
「ウイリアム・シェイクスピアを取り上げたいと思っています」

「どのような方法で調査しますか」
「シェイクスピアに関する講義を受ける、大英図書館で古文書を収集する、研究者にインタビュー調査する、という予定です」

悪い質問を良い質問に変える

比較教育学の国際学会に参加したときのエピソードです。世界的に有名な教育学者の基調講演が終わると、すぐに1人の若手研究者が質問したのですが、内容が長く、また何を聞きたいのがよくわかりません。講演者が「質問の要点は何ですか？」と聞き返したところ、若い研究者は「端的にお聞きしますが……」と言って質問内容を整理して伝えなおし、そこから議論がさらに発展したことを鮮明に覚えています。同じ内容の質問であっても、質問の仕方によっては予想以上の効果をもたらすことがありますし、その反対の状況も想定されるのです。

悪い質問の仕方の3つのパターン

悪い質問としては、次のようなパターンが考えられます。

▶ 1 答えを聞くことだけが目的

自分でよく考えずに、他人に丸投げして答えだけを求める質問は、よしとされません。他人に委ねて答えを得るばかりだと、思考力が育たず、問題解決などを論理的に考えることができなくなるからです。

▶ 2 質問がわかりにくい

質問があいまいだったり、質問事項が多かったり、文章のように長いと、相手はどのように答えていいのか困惑します。特に質問者が多数いる場合は、1人で質問時間を独占してしまうことになります。質問はできる限り簡潔に、問いが複数あるなら箇条書きのように「3つ質問がある」と最初に前置きしてからにしましょう。

▶ 3 相手を過度に追求する

「どうするつもりなのか？」「どのように思っているのか？」というように、相手を追い詰めるような強い口調で質問するのは避けましょう。もし期待の裏返しだとしても、相手を萎縮させてしまい、話がそれ以上広がらなくなります。コミュニケーションの関係性が悪化することで、その後の学習や仕事にも悪い影響を及ぼしてしまいます。

このほかにも、「全部わからない」「何がわからないのかがわからない」など、自分でどこまでを理解してどこからが理解できないのかがわからないような質問は、相手を混乱させ、その場の雰囲気を悪くするので、絶対にしないように心がけましょう。また、調べればすぐにわかるようなことは、まずは自分で調べる習慣を身につけましょう。

「……までは理解できているのですが、……からがわかりません」

というように質問することです。

うまく質問するための3つのポイント

相手が答えたくなるように質問するためには、次の3つがポイントです。

▶相手を肯定する

人はだれしも自尊心があるので、否定的な質問などをされると気持ちを害する場合があります。否定的な言葉を肯定的に言い換えて質問すると、相手に好印象を与えることができます。

NG:「どうしてできないんだ」 ⇒ 相手の自尊心を傷つけてしまう
OK:「どうしたらできそうですか？」 ⇒ 解決策を考える姿勢になる

質問することで相手を肯定しながら、今取り上げている話題に関心を持っていることを示して心の距離を縮め、コミュニケーションの雰囲気をよくすることを心がけましょう。

▶相手の考えをさらに引き出す

追求するような発言をすると、相手のモチベーションが下がってしまいます。相手の話を補足する、または広げるような質問をすることで、次の話題につなげることができます。以下の諸点が当てはまります。

- 相手の話のペースに合わせた「間」を意識する
- 抽象的な質問には事例を入れる
- 数字など具体性を入れる
- 自分の話や意見を適度に組み入れる

▶共通の目的を作って掘り下げる

質問しあう時には、互いに特にどのような問題に関心を持ち、「いかにして共通の目的として掘り下げていくか？」を念頭に置きましょう。

- 問題を私たちはどう考えるか？（どう受けとめるか？）
- それを私たちの問題として受けとめた時、どのような目標（ゴール）を設定して解決するのか？
- その問題を私たちだけでなく、同じ世代に共通する問題として、さらには社会全体の問題としてとらえた時、どうすべきだと考えるか？　問題をどう解決すればいいか？

これらの点に気をつけて、質問時に相手に安心感や信頼感を持ってもらえるように意識しましょう。

悪い質問を良い質問に変えてみよう

答えにくい質問を、答えやすい質問に変える練習をしましょう。

▶ **1 あいまいな質問**

A「京都に旅行に行ってきたよ」
B「ふーん、どんな感じ？」

「どんな感じ」では質問が漠然としています。「食べ物」「観光名所」など旅行先の何がよかったのかをくわしく聞くようにしましょう。

「そう！　私も去年行ってとてもよかったです！　どの場所がお気に入りですか？」
（質問の焦点を絞って、さらに自分の話を少し入れる）

▶ **2 本題とズレた質問**

A「昨日の夜、散歩していたら、偶然、迷い犬を見つけたんだ……」
B「夜の散歩？　健康のために散歩しているの？」

この会話では、Aは「散歩」より「迷い犬」の話がしたいので、後者に関した質問をする必要があります。

「そうなの?!　どんな犬だった？」
（迷い犬についてさらに情報を聞き出す）

▶ **3 自分でも何を聞いているのかわからない質問**

A「この洋食レストランは、サラダが美味しいから好きなんだ」
B「なんで？」

質問の内容が的外れだと、相手は答えに詰まってしまいます。

「そうなんだ！　どんなサラダの種類があるの？」
（相手の興味・関心をさらに聞き出す）

▶ 4 自分の意見に誘導しようとする質問

A「新しいデスクトップパソコンを買ったんだ！」

B「デスクトップだと、持ち運べなくて、余計に場所をとるでしょう？」

相手が話したいことよりも、自分の意見や考えを優先させるような問いかけはしてはいけません。

「そうですね、どのような機能が備わっていますか？」

（相手が話したい内容へ話を膨らます）

COLUMN

タブーな質問

良い・悪い以前に、してはいけない「タブーな質問」というものがあります。タブーな質問は、世界的に共通するものがあります。たとえば、「女性に年齢を聞く」ことや、初対面の人に「職業を質問する」ことはNGです。

国によって考え方が異なる場合もあります。たとえば、中国では、生徒が教師に「年収を尋ねる」ことがありますが、日本では絶対にしてはいけません。また、日本では「血液型」を聞いて話を盛り上げることがありますが、アメリカやヨーロッパなどの欧米諸国では血液型はプライバシーに関わる重要な個人情報になっているため、聞かないのが普通です。

受験や就職面接では、以下の質問はタブー事項になっています。

- 本籍地
- 家族の職業
- 家族の収入、資産、住居状況
- 思想・宗教、支持政党、尊敬する人物
- 自宅付近の略図、経路など
- 男女雇用機会均等法に抵触する質問

面接者の能力と適性にもとづかない質問は、基本的人権を侵害する行為とされます。家族のことなど、本人の責に帰することのできない問題もしてはいけません。

質問の最適なタイミングや間合いをつかむ

同じ状況であっても、「Aさんとはスムーズに質問し合えるのに、Bさんとはうまく噛み合わない」ということがあります。原因として、会話のタイミングやリズムに問題があるのかもしれません。それらがズレてしまうと、会話の流れを悪くするだけでなく、相手のあなたに対する印象も悪くします。何か疑問に思ったことをただすぐに聞けばいいというわけではないのです。こうしたことは日本人同士でも起こりうることなので、外国の人と会話するときにはさらにその違いが顕著になることがあるでしょう。

質問をする3つのコツ

一般的に、質問とは自他ともに限られた時間の中ですることなので、お互いが置かれている状況を把握してタイミングを見計らう必要があります。

▶ 1 まずは自問してから

自分がわからないことを相手に質問して理解することは大切ですが、その前に十分にその問題と向き合っているかどうか、自問自答しましょう。人に聞く前に、まだまだ自分が考えるべきことがあったりします。

その際、自分で考える時間に制限時間を設けることも大切です。たとえば、「5分考えてもわからなければ相手に質問する」という形です。

▶ 2 相手の都合を考慮する

相手が以下のような状況にある時は注意しましょう。

- 作業中（勉強中、仕事中、食事中・会話中など）
- 電話やメールをしている最中や終わった直後

- 外出の準備を済ませて席を立った瞬間
- 相手がいら立っている様子の時

質問する側にも都合があると思いますが、可能な限り相手がタイミングよさそうな時（余裕を持って応答してくれそうな時）を見計らって質問するように心がけましょう。

▶ 3 国や文化によって会話の間やテンポを考慮する

異文化コミュニケーションの研究では、相手の話を最後まで聞いてから応答するのか、それとも相手が話している時でもかまわないのかなど、国や文化によって違った傾向が見られることがわかっています。

［非言語によるコミュニケーション］

一般的に、日本人は対話中、1人が話すと少し「間」を置いてから、次の人が発話する傾向があります。欧米諸国では、日本人と比べると対話中の「間」の間隔が短いといわれています。さらに南米の国々では、相手が話している最中に話し始めることもよしとされます。日本では対話中、相手が話している時に「かぶせて」話をすることは礼儀が悪いとみなされますが、南米ではむしろ「話していることに興味がある」という意思表示になって

いるとされるのです。

こうした「間」の取り方は、質問のタイミングにも反映されます。各国における質問の仕方は、タイミングやスピード、順序、聞く人の理解度など多数の条件が関係しています。

会話のテンポや間をよくする 2つのウォーミングアップ

会話のテンポや間をよくするために、まずは安定したリズム感を持つことです。歌唱や楽器演奏、ダンスなどと同様に、適切なリズム感が身につければ、コミュニケーションのリズムも自然とよくなるでしょう。

私のスピーチコミュニケーションの授業では、会話におけるリズム感を養うためのウォーミングアップとして、次のような取り組みをしています。

▶手拍子でリズム感を養う

さまざまな曲のテンポに合わせて「手拍子」をします。適度な長さの音楽に合わせて、1曲まるごと（または1番だけ）、続けて手拍子するのです。

「手拍子なんてかんたん」と思うかもしれませんが、途中で疲れてくると手拍子がズレてきたり、実際にやってみると意外と難しいことがわかります。

最初はゆっくりしたリズムの曲から始めて、慣れてくると徐々にテンポを変えて練習するようにしましょう。大切なことは、「ずっと同じリズムを叩き続けられるか」です。

▶「音の高さ×話すスピード」の組み合わせを変えて話してみる

声の「高い・低い」と「速い・遅い」の組み合わせを変えることで、相手との会話のテンポを調整します。

- 高い声×速く　⇒　元気で明るい印象
- 高い声×ゆっくり　⇒　優しく大らかな印象
- 低い声×速く　⇒　仕事ができる印象
- 低い声×ゆっくり　⇒　落ち着いた印象

コミュニケーション中の相手の声の高さやスピード、心身の状況をよく観察し、質問する時に同じように声を合わせることで、話が円滑に進んだり、相手への印象をよくする効果が見込まれます。

ウォーキングしながら 会話のリズムをつかんでみよう

2人1組で歩きながら会話をして、リズムをつかむ練習をしてみましょう。「ウォーキング」と「質問」という2つの動作を、違ったテンポで、かけ合いですることで、リズム感が養われます。

▶ 1 会話中の内容、タイミングを考慮しながら言葉のキャッチボールをする

▶ 2 ウォーキングの速度を変えながら、お互いに質問をし合う

▶ 3 慣れてきたら、声の調子や高さや速さも変えて質問する

この練習は、携帯を見ながらすると危険です。集中して取り組むようにしてください。

自問自答で思考や行動のバリエーションを増やす

「明日の朝9時までにレポートを作成するように」

その日の午後に、急に課題が出されたとしましょう。その時、あなたは自分にどのような問いかけをするでしょうか？

A「明日の朝9時までに終わらせるには、どうしたらいいか？」
B「明日の朝9時までなんて無理かもしれない。どうしよう？」

2つの質問から明らかなのは、その後の行動がまったく違うということです。1つめの質問では、短時間でレポートを作成する方法を真剣に考えるでしょう。一方、2つめの質問は、そもそも解決策を見いだすための問いかけになっておらず、ただ自分が困難な状況にあることを自覚するだけになっています。

自分で自分の心に問いかけ、答えることを「自問自答」といいます。自問自答は、質問を自分にぶつけていくことによって、物事に対する考え方や行動のあり方をどんどんと深くしていくプロセスです。自問自答をするときにいつも同じ質問しかしていなければ思考を多様化することができませんし、他者に対する質問もマンネリで気づきが少ないものになってしまいます。

これは、富士山に登る時も、近くの小さい山にピクニックするときも、いつも同じ装備で登るのと同じようなものです。学習や仕事の状況に応じて自他ともに適切な質問を与えることが大切です。いい自問は自分の思考を前進させてくれるでしょう。いかに自問する力を鍛えるかが、他者への問いかけにも深みを与えるのです。

自問自答の研究

自問自答は、多くの人が日頃から無意識におこなっているため、つい軽視されてしまいがちですが、古くから哲学や論理学などで重要な思考法として見なされてきました。フランスの哲学者のデカルトは、価値ある知識というのは「自分自身を見つめること」で得られると説いています。また、ドイツの生理学者ヴィルヘイム・ヴントは、認識や意識の研究における中心要素として、自問自答を用いた「内省」に注目しました。

心理学では、自問自答は「内省的知能」とも呼ばれ、自分自身をよく理解し、独自の学習や作業モデルを用いて生活を統制する能力とされています。シドニー大学でコーチング心理学を研究するアンソニー・グラントの研究では、優れた内省ができる人は、より明確な目的意識を持ち、心身の状態、自己受容、幸福度などがほかの者より高いという結果が明らかにされました。

自問の4つのステップ

では、いい自問をするためにはどうしたらいいのでしょうか。以下の4つのステップで、効果的に自問することができます。

▶ 1 具体的な自問を考える

「人生はいかなるものか？」など哲学的で漠然とした聞き方では、具体的な自答はなかなか得られません。自分が自答しやすいように、問いはできるだけ現実的で簡素なものにしましょう。ポイントは以下です。

- 具体化：簡潔に1文で表すようにする
- 比較：自問する内容を比較して考えるべき優先順位などを考える
- 決定：目的は一度につき1つだけ設定する

具体化には、「SMARTの法則」が役に立ちます。SMARTとは、以下のような5つのポイントの頭文字をとったものです。

- Specific（具体的）：明確で具体的な表現や言葉で表せるか
- Measurable（測定可能）：数字で表せるか
- Achievable（達成可能）：単なる希望や願望ではなく、現実的か
- Related（目標関連）：目標を達成した先には何があるのか、何のために目標を達成するのか
- Time-bound（時間制約）：いつまでに目標を達成するか

▶ 2 考えに制約をつけすぎない

「お金がないから」「時間がないから」と制約をつけすぎると、適切な自答を得られないことがあります。そのような制約を可能な限り取り払った状態で考える習慣を持ちましょう。ポイントは以下です。

- 背景理解・整理
  ⇒なぜしようと思ったのか、質問に至った思考や行動の背景を考える

- 5W1H
  ⇒「いつ、だれが、どこで、何を、どのように」を基本に、そこから自由に発想する

- 関連性
  ⇒「目標の意義」と「目標を達成した後の課題」の関係性をはっきりさせる

▶ 3 考えすぎない

「ずっと考えていれば、問題が解決する」わけではありません。考えすぎると思考が混乱して、不必要なことまで考えたり、まちがった自答になるなど逆効果になることがあります。細かい部分に集中しすぎず、本当に大切なことを念頭において自問しましょう。ポイントは以下です。

■ 根拠を確認する
⇒データや数字のバイアスがかかってないか、客観的に分析する

■ 両面を確認する
⇒メリット・デメリットなどをシンプルに考える

■ 現実的かを確認する
⇒単なる希望や願望ではなく、達成可能かどうかを検証する

▶ 4 書き出す

自問を書き出すのは、さらに優れた問いを見つけるうえでは大切な習慣です。それをくり返すことで、適切な自問が徐々に見えてくるでしょう。ポイントは以下です。

■ 思いついた自問を書き出す
■ 自問や達成目的が曖昧でないかチェックする
■ いつまでに目標を達成するかを考える

「留学するために今しなければならないことは何か？」を自問してみよう

「イギリスに留学するために、今しなければならないことは何か？」を題材に、自問のステップを練習してみましょう。

▶ 1 具体的な自問を考える

■ 留学するために必要なスキルは何だろうか？　英語力？　コミュニケーション力？　専門知識？
■ コミュニケーション力を伸ばすためにはどうすればいいのか？

▶ 2 考えに制約をつけすぎない

- 英語力を伸ばしたい、イギリス文化に関心がある、英ロックが好き
- 留学前から準備する、友人たちといっしょに留学する、世界的に有名な教授の講義を受ける、コミュニケーション学の知識を得る、ネイティブのイギリス人と交流する
- 異文化の人々との交流を通じてさまざまなコミュニケーションの違いを知りたい、将来的にイギリスで仕事がしたい

▶ 3 考えすぎない

- 言語試験で必要なスコアはクリアできており、経済的なバリアーもない
- 留学することで英語でのコミュニケーション力はつくが、就職活動に間に合わないかもしれない
- 英語のスコアを20点上げると留学制度が活用できる

▶ 4 書き出す

- 自分にとって留学は必要か？
- 年内に英語スコアをクリアする
- 奨学金制度が活用できる
- 渡航前までに必要な語学力と知識を身につける

COLUMN

自問自答が苦手な人の特徴

近年、教育学などの分野で自問自答の研究が進んでいますが、自問自答することが苦手な人には以下のような共通点が見られます。

日常であまり深く考える習慣がない

そもそも日頃からじっくり考える習慣がないと、自問自答でどのような質問をして、どんな答えを出しているかを把握できません。ニュースや新聞など、見聞きした物事を深く考える時間を日頃からできるだけ多く作るよう心がけましょう。

否定的に物事を捉える傾向にある

いつも否定的に物事を考える傾向がある場合、無意識に「自分にできるはずがない」「無理に決まってる」といった自信がない自問になってしまいます。否定的な自問から前向きの答えを探し出すのは難しいといえます。

目標意識がない

目標がない人は、物事を考えて整理し、行動の優先順位や手順などを決めるのが難しく、適切な自問自答がしにくい可能性があります。

8章
批判する

クリティカルシンキングで相手を知的にフォローする

「その理由はなんですか？」
「それはあなたの意見でしょうか、それとも事実でしょうか？」

そんな言葉を頻繁に交わし合いながら、物事を無批判に受け入れないで、客観的かつ多面的に考察し、本質を探究する思考法は「クリティカルシンキング」と呼ばれています。クリティカルは直訳すると「批判的」「重大」などですが、やみくもに相手の考え方を批判するといったネガティブな意味ではありません。クリティカルシンキングは次のような効果を生み出す思考法であると考えられます。

- 物事を批判的に捉えることで、考え方の矛盾や漏れを極限まで低減する
- 幅広い視点から考え、最良の方法を導き出す
- 必要な情報がどうかを判断して選択する

こうした思考は、コミュニケーション力、ライティング力、コンプリヘンション力（理解力）など学習能力全般の向上に寄与することがわかっています。国連機関のOECD（経済協力開発機構）や、ESD（持続可能）カリキュラムの中でも、クリティカルシンキングは育成すべき資質・能力の1つとして提唱されています。日本の文部科学省が主導する教育改革では、クリティカルシンキングは「これからの社会を生き抜くために必要な能力」として位置づけられていますが、それは高度情報化社会では情報を主体的に選択し、活用できる力が不可欠だからです。

クリティカルシンキングの3つの基本

教科学習の研究などでは、クリティカルシンキングの基本として、以下の3つが挙げられています。

▶ 1 目的が何かを常に意識する

ある課題について思考する際には、ゴールを明確に設定しないと、部分的な検討で終わってしまったり、際限なく検討を続けることになります。「何のために思考するのか？」を事前に明確にしておくことが大切です。

▶ 2 自他に思考のクセや偏りがあることを前提に考える

人は思考する時に、それぞれの価値観や先入観が無意識に働き、事実を曲解させてしまうことがよくあります。物事を希望や憶測で判断して事実を誤ってしまうという思い込み、自分に都合のいい情報だけ集めて分析を正しいものとする考えに囚われていないかをチェックし、「ほかの要因はないか？」など客観的な視点から思考する習慣が必要となります。

何らかの状況を見て考えるときには、論理的な正しさを確かめる必要があります。事実と結論を結びつけている考え方が正しいかどうかは、仮説を立て、それを批判的に考えることです。仮説を実験・観察などによって検証し、事実と合致してはじめて、それは事実であるとされます。仮説がまちがっていたら、導き出される結論がまったく違ったものになってしまいます。

▶ 3 問いを継続する

ある一定の結論に達したとして、常に「ほかの理由がないか？」などを考えることです。変化の著しい情報化社会では、解のない課題がたくさん存在し、しかも状況の変化とともに、ある時は正解であったものが不正解になってしまうことがあるからです。客観的な思考を継続することで、物事の本質を捉えながら先へ進むことが求められています。

社会心理学の研究では、これら3つの基本を意識して、特定のグループに対して1日数十分のクリティカルシンキングの授業を約2か月間おこなったところ、そうでないグループよりもIQや言語理解力などが飛躍的に伸びたという結果が出ています。

［クリティカルシンキングの3つの基本］

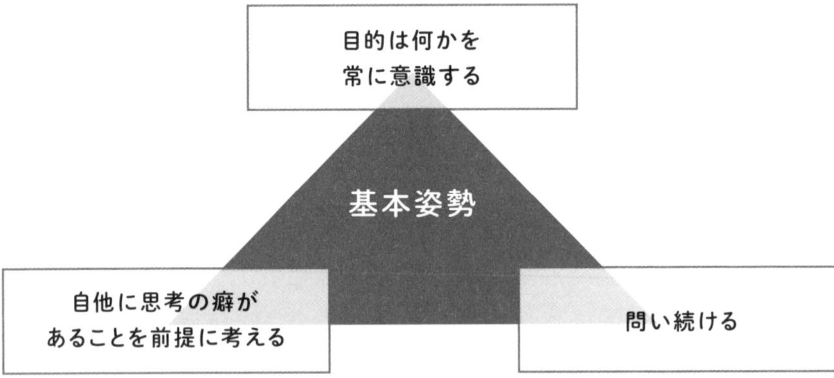

「前提」「仮定「結論」に分けて考える

クリティカルシンキングでは、仮説を「前提」「仮定」「結論」に分けて考えます。

- 前提（事実であり、変えられないもの）
- 仮定（事実に対する疑問、変えられるもの）
- 結論（前提と仮定によって導かれる結果）

仮定は、前提と結論を結びつける接着剤のような役割であり、仮定が変われば前提は同じでも別の結論になります。

【例】

前提「日本人学生の海外留学数は過去5年で劇的に激減した」

仮定①「国内の学習環境に満足する内向き志向になった」
結論①「内向き志向を改善するための啓発プログラムの開発が必要」

仮定②「経済不況で留学するための経済的余裕がない」
結論②「留学に対する奨学金制度の拡充が必要」

次は、実際にクリティカルシンキングしてみましょう。

「最近、若者の間で携帯電話のゲームアプリが流行っているので、携帯電話で勉強できるアプリがあればきっと売れるね！」

前提、仮定、結論の3つに分解して考えてみましょう。

①若者の間で携帯アプリゲームが流行っている（前提）
②携帯学習ゲームアプリを開発する（仮定）
③②があれば売れる（結論）

この3点に対して、批判的に分析してみましょう。

▶ 前提への疑問
「本当に若者の間で携帯ゲームアプリが流行っているのか？」
⇒携帯ゲームよりもSNSやYouTubeのほうが流行っている。実際のゲーム利用者は少ないのではないか？

▶ 仮定への疑問
「学習できるゲームアプリとはどういうものか？」
⇒携帯電話（画面、文字、デザインなど）の中で高度な学習機能を持ったアプリの開発が可能なのか？
開発できるとしても、コストがかかりすぎないか？

▶結論への疑問

「たとえゲームでも、若者は本当に勉強するようになるのか？」

⇒学習機能よりもエンターテインメント性のほうが強く、勉強へのモチベーションを高める効果はさほど期待できないのではないか？

「若者がすぐに仕事を辞めてしまうのはなぜか？」をクリティカルシンキングしてみよう

次の意見に対して、クリティカルシンキングをしてみましょう。

> 最近では、若者がすぐに仕事を辞めてしまう。原因は、やる気がない若者が増加しているからだ。よって、若者を会社で育てるよりも、面接のやり方を強化すべきだ。

▶ 1 仮説を前提＋仮定＋結論に分ける

仮説を前提＋仮定＋結論に分けてみます。

- 前提 ⇒ 今時の若者は離職率が高い
- 仮定 ⇒ すぐ辞めるので、育てても無駄
- 結論 ⇒ 面接のやり方を強化すべき

▶ 2 批判的に考える

そのうえで、批判的に考えてみます。

「本当に若者の離職率は高いのか？」
「やる気のない若者が本当に多いのか？」
「どのくらいの期間で、どのような理由で辞めているのか調査したか？」
「それらが、はたして今時の若者の離職率データと一致しているのか？」
「若者のやる気をなくさせているのは、会社ではないのか？」
「『辞めるから育てない』のか？『育てていないから辞めてしまう』ので

はないか？」
「そもそも、面接の際に見極めることが可能なのか？」

COLUMN

クリティカルシンキングと ロジカルシンキングの役割の違い

思考法には、クリティカルシンキング以外にもさまざまなものがあります。とくに有名なのがロジカルシンキングです。クリティカルシンキングとロジカルシンキングを比較すると、次のような違いがあります。

■ クリティカルシンキング
⇒「本当に正しいのか？」を批判的に検証して本質を追求する
■ ロジカルシンキング
⇒物事を論理立てて要素に分解して考える

身近な例を用いて考えると、「エアコンの売上が前年度の同じ時期より5％上昇した」という事実の理由を考える時、ロジカルシンキングでは以下のようになります。

エアコンは室内を涼しくする商品である
↓
今年の夏は記録的な猛暑続きであった
↓
エアコンの売上が伸びたのは猛暑が原因の1つである

一方、クリティカルシンキングでは以下のように根本的な原因から考えていきます。

「購入者は、そもそもどんな目的でエアコンを購入しているのか？」
「猛暑対策以外の目的もあるのではないか？」

両者はまったく別の思考法ではなく、批判的（クリティカル）に考えて論理的（ロジカル）に説明するというように、2つの役割を分担させることで、効果的な問題解決策が得られます。

ピアレビューで仲間や同僚からの批判をパワーに変える

文書やプレゼンテーションなどなにかしらの成果物を本人以外の仲間が評価・検証することをピアレビュー（peer review）といいます。peerとは、友人や同僚など、基本的には自分に近い立場の人を指します。

ピアレビューは、以下のポイントを押さえて実施します。

- レビューをする前に「目的」を理解する
- ざっくばらんに意見が言い合える「仲間同士の関係」でおこなう
- いい点も改善すべき点も具体的に指摘しあう

これによって、教師や上司などが一方的におこなうレビューでは上下関係などから得られにくい「自分を客観的に分析する力」や「聞き手の立場に立って評価する力」が向上するほか、「学習意欲の向上」（＝モチベーションの向上）にも結びつくことがわかっています。

ピアレビューは、教育学をはじめさまざまな分野で研究され、実践に取り入れられています。国語教育の研究分野では、友人が作成した文を読みあって意見を出しあうことで、次のような効果があるとしています。

- ライティング（文書を書くこと）への不安が緩和できる
- 読み手の存在（友人などの視点）を意識することにより、ライティングが認知的活動であると同時に社会的な活動であることがよく理解できるようになる
- 自分の書いた文章を他人のものと比較することで、本人が認識できなかった書き方の問題点に気づける

なにより、「こんなにしっかり考えてくれる」という発見があり、それに

よってほかの人の評価を聞くのが楽しくなるとされます。

前提は「信頼関係があるかどうか」

お互いに批判しあえる（長所や短所を言いあえる）ことは、信頼関係の上に成り立っています。ですので、ピアレビューをする時は、日頃からざっくばらんに意見が言いあえる関係があることが前提となります。

私のゼミでは、学生同士が率直に言いあえる雰囲気づくりを心がけています。他者の発表に対しては、まず以下のようにいい点をまず挙げてもらいます。

「内容が興味深い」
「論理的に説明している」
「話している時の表情がいい」

そのうえで、以下のような改善点について話してもらっています。

「パワーポイントの文字をもう少し大きくしたほうがいい」
「説明の論理展開がよくない」
「もう少しまわりを見ながら話したほうがいい」

「相手にとっては改善点を指摘するほうが今後のためになる」と伝えておくと、意見が出やすくなります。

「パフォーマンスのプロセスや成果に対してポジティブ（肯定的）な意見を与えるのがいいか、ネガティブ（批判的）な意見を与えるのがいいのか」という研究がよくなされるのですが、両者それぞれを支持する膨大な論文が併置しているのが現状です。私の経験からすると、両者は「時と場合」によると思います。こうした「二分法」にとらわれないで、時には両者を合わせておこなうべきだとも考えられます。

相手が成功したいモチベーションが強いか、失敗したくないモチベーションが強いかを考える

ピアレビューは、相手の性格に合わせることで効果を最大化できます。ポイントになる性格的傾向は、次の2つに大別できます。

- 「成功したい」というモチベーションが強い
- 「失敗したくない」というモチベーションが強い

前者は、以下のように「目標を達成するための言葉」を受けるとモチベーションが高まる人です。

「この英語試験の目標を達成すると、留学が可能になる」
「この章が書けたら、論文を提出していい」

後者は、以下のように「注意点を喚起する言葉」を受けるとモチベーションが高まる人です。

「話の論理展開が正しくないと、聞き手が混乱する」
「アイコンタクトなどがないと、聴衆の関心を引き寄せられない」

成功したいというモチベーションが強い人に対してポジティブなレビューをすることは、さほど難しくないと思います。一方、失敗したくないという気持ちが強い人に対して批判的なレビューをする時は注意が必要です。きつい言葉で相手を委縮させることになると、その後の人間関係に影響が出る場合があります。

失敗したくないというモチベーションが強い人へのピアレビューは、以下の3ステップで進めましょう。

①目標達成のための行動プロセスの問題点を指摘する
(性格面には決して言及しない)

②もたらされる悪い結果を伝える
③失敗しないためのアドバイスをする

「状況」「行動」「成果」「提言」のフォーマットをもとに伝える

ポジティブであれネガティブであれ、ピアレビューでの伝え方には型のようなものがあります。以下のフォーマットが参考になります。

▶状況(Situation)
「　　」さんの、「　　」のとき（状況）の

▶行動(Behavior)
⇒「　　」の行動（仕方）が、「　　」（人など）に対して

▶成果(Impact)
「　　」のような点でよかった（改善が必要）と思います

▶提言(Proposal)
よって（さらに）「　　」してみてはいかがでしょうか

相手に対して数回ピアレビューをする際には、前回と比べてどのような変化があったのかを伝えましょう（縦断面レビュー、コラムも参照）。

ピアレビューは相手に意見を与え、行動の強化と修正を促すものです。ですから、単なる「いいね！」「すごい！」などの言葉だけでは、相手はどのような点がよかったのか（悪かったのか）がわからないでしょう。強化したい行動や修正したい行動をなるべく具体的に告げることが重要です。そのためには、相手をよく観察することが大切です。

ポジティブとネガティブ両方のピアレビューをしてみよう

ピアレビューの型を用いて、成功したいというモチベーションが強い人、失敗したくないというモチベーションが強い人のそれぞれに対して「ポジティブ」「ネガティブ」な意見を言う練習をしてみましょう。

【やり方】

- 状況を設定する
- ピアレビューする人のパーソナリティを設定する
- それぞれの状況に応じてポジティブ、ネガティブなピアレビューをする

▶成功したいというモチベーションが強い人へのピアレビュー

Aさんは、来年から留学することが決定していて、英語のコミュニケーション力をつけたいと考えています。特にスピーキング力をつけるため、自分が英語を話している場面を見て意見を求めています。

【ポジティブなピアレビューの例】

Aさんの「英語のスピーキング」は、「発音やアクセントが正確」なので、相手が「聞き取りやすい」でしょう。さらに、「声量・声調を変えたり、ジェスチャーなどを入れる」ともっと伝わりやすくなると思います。

【ネガティブなピアレビューの例】

Aさんの「英語のスピーキング」（状況）は、「言語面のことに注意がいきすぎ」ていて、「非言語面」が弱いので「印象が記憶に残りません」。ですので、「声量・声調を変えたり、ジェスチャーなどを入れる」などして、もっと印象づける必要があると思います。

▶失敗したくないというモチベーションが強い人へのピアレビュー

Bさんは、プレゼンテーション中に手元のメモに集中しすぎて、まわりを見ずに話しているため、聞いている人たちの関心を引く力が弱いです。

【ポジティブなピアレビューの例】

Bさんは、「プレゼンテーション」中に「しっかりと内容を伝える」ために「メモに忠実」であるので、「聞いている人たち」に「わかりやすい説明になっていた」と思われます。さらに「まわりに視線をふって話す」ことを心がけると、関心を引きつけられるでしょう。

【ネガティブなピアレビューの例】

Bさんは、「プレゼンテーション」中に「視線」が「手元の原稿を読むこと」に集中しすぎて、「聞いている人たち」が退屈することがあります。話している時は、「なるべく会場全体を英語のZの字のように見渡す」と、その点が改善できると思います。

COLUMN

縦断面的レビューと横断面的レビュー

ピアレビューでは、「本人の前の状況と比べる」「ほかの事例と比べる」ことで、本人としては現状がどうかを解釈してもらい、改善を意識する契機を作ります。具体的には、次の2つの側面があります

- 縦断面レビュー
  （本人の前の状況と比較して、進歩の様子を評価する）
- 横断面レビュー
  （個人のいろいろな特性を比較して、本人の長所、短所を評価する）

特に、縦断的レビューの「前と比べて」という視点を取り入れると、相手の自己肯定感を高めることにもつながります。

ディベートで健全な批判精神を養う

グローバル化が進行し、多言語・多文化の人々の交流が活発化する現代社会では、未曾有の問題を分析し、激しい意見対立で合意を得ることができ、自分（または集団）以外の人たちと実際に協働するステップを歩めるよう説得できる人、つまり物事をはっきりと判断できる人材の育成が求められています。そのために有効な手法が、ディベートです。

ディベートとディスカッションは混同されがちですが、ディスカッションが自由に話し合いをするものであるのに対して、ディベートは意見の対立を前提にしたテーマを設定し、その中で賛成派と反対派のグループに分かれて討論し、最後に勝敗を決めるものです。

私が学んだオックスフォード大学では「オックスフォードユニオン」というディベートクラブがあり、日々さまざまなテーマで討論が開催されています。英国の現首相ボリス・ジョンソンやトニー・ブレアなどの歴代首相も所属していた、伝統あるディベートクラブです。

ディベートによって、自他の主張に対して根拠の検証と情報収集を重ね、討論の中で批判を闘わせることにより、ある1つのテーマに対する理論的・理性的判断を下す思考が養われるでしょう。

ディベートの進め方

ディベートは、おおよそ以下のような形式でおこなわれます。

肯定側の立論 ⇒ 否定側の質疑
⇒否定側の立論 ⇒ 肯定側の質疑
⇒否定側の反駁 ⇒ 肯定側の反駁
⇒否定側の最終弁論 ⇒ 肯定側の最終弁論

▶ 1 立論

論題について、肯定／否定のそれぞれの立場で自分たちの意見を鮮明に述べます。

肯定側は、オープニングトークのような役割をもちます。

否定側は、肯定側の立論をふまえた形で立論するのが望ましいです。

▶ 2 質疑応答（反対尋問）

相手の議論で不明瞭であった部分の確認や、論理矛盾に対する追求などをおこないます。

主導権を有するのは、質問／尋問側です。応答側の発言を遮ってもかまいません。

ここがディベートの中で討論する部分です。

▶ 3 反論・反駁

相手側の意見に対する批判、相手側からの批判に対する反論をおこないます。相手からの質疑に対して答えられなかったものは、ここで回答します。

▶ 4 最終弁論

これまでの流れを再構成しながら、相手側と比較して自分たちの立場のほうが正しいことをアピールします。ここでは以下2点に注意する必要があります。

- 新しい主張や根拠は出さないようにする
- 立論の単純な繰り返しにならないようにする

この4つの段階を経て、最後は審判（聴衆）が審議して勝敗が決定します。

ディベートの判定

ディベートの審判は、極力私情をはさまず、理性的に落ち着いて議論を判断することが求められます。一般的には、以下のようなフローシート（ジャッジシート）をもとに、議論の流れを思い出しながら、個々のメリット・デメリットについてどの程度成立するかを判断します。

［ディベートのフローシート］

肯定側の立論	否定側の質疑	否定側の立論	肯定側の質疑	否定側の反駁1	肯定側の反駁1	否定側の反駁2	肯定側の反駁2

▶どちらの根拠が優れているかを比較する

主張が分かれた点については、根拠の優劣（どちらの証拠が勝っているか）を比較します。以下のような点がポイントです。

- 経験的事実　＞　事実関係の予測
- 新しい証拠　＞　古い証拠
- 権威のある人の発言　＞　一般人の発言
- 論題に特有の証拠　　＞　一般的な証拠

▶立論から反論までの全体を通じて勝敗を判定する

「立論では肯定側が有利」「第一反駁は否定側が勝った」など個々のステージごとに判定してしまう傾向がありますが、判定は全体を通しておこなうことが望ましいです。お互いの第二反論が終わった時点で、残ったメリットの合計とデメリットの合計を比較し、点数が大きいほうを勝利とします。

反論の5パターン

反論では、お互いの立論に対して「攻撃」と「守り」を繰り広げながら、自分たちの主張のほうが相手の主張よりも説得力があることを強くアピールしていきます。ただ、反論とはやみくもに「相手を打ち負かす」「自分の主張を押し通す」ことではありません。反論とは、お互いが納得できる答えをいっしょに見つけ出していくための「交渉」です。健全に反論しあうことを通して、お互いの真意を引き出し、最善策を見い出すのが目的なのです。真の問題解決や合意は、意見の対立を超えた先に生まれるものです。

反論には、大きく次の5つのパターンがあります。

▶ 1 相手の根拠の矛盾点や問題点を指摘する

これはディベート用語で「リンクを切る」といい、最も基本的な反論のスキルです。

【例】日本でも大統領制を導入する

肯定「大統領に権限が集中し、主導権が発揮できるため、迅速に政策が実行される」

反論「大統領であっても所属政党の代表であり、意志決定は党内の合議によってなされる。したがって主導権は発揮できず、政策も迅速に実施できるとは限らない」

▶ 2 別の根拠を持ち出して反論する

【例】日本の義務教育の教科書をタブレット化する

肯定「生徒たちが毎日重い教科書を持ち運ぶ必要がなくなり、身体的な負担が軽減される」

反論「タブレットが普及することで、子どもたちが実際の本に触れる機会が減ることが懸念される。西洋の学校のように、教科書はロッカーなどに置くなどの措置をとればいい」

▶ 3 情報や証拠の不足を指摘する

【例】日本にも陪審制度を導入する

反対意見「一般市民は専門裁判官より事実認定能力に劣るので、誤審が増える危険性がある」

さらに反論「すでに陪審制を実施している諸国では、一般市民のほうが専門裁判官より事実認定能力に劣るという客観的データはいまだ存在していない。また、現職の裁判官に対して、事実認定能力を向上させる教育が施されているというデータもない」

▶ 4 相手の主張は認めながら、その重要性を疑う

【例】厚生労働省は全面的にリモートワークを推進するべきである

肯定側「リモートワークならば、ラッシュアワーや悪天候などで疲れずにすむし、職場の人間関係のわずらわしさがない」

反対側「移動時間や人間関係のわずらわしさから解放されることは理解できるが、出勤したほうが規則正しい生活リズムを維持できる人も多いし、自分の仕事が在宅勤務に適していない場合はかえって負担がかかる」

▶ 5 相手の主張は認めながら、現状維持を強調する

【例】文部科学省は、小中学校での留年制度を設けるべきである

肯定側「留年制度は子どもたちの学力をしっかりつけることが目的であり、学力をつけるモチベーションにつながる」

反対側「学力不足の問題はある程度解消されるかもしれないが、小中学校は学力をつけるだけの場ではないし、学校外でも勉強する機会を充実させる方法もあるので、現状の改善で十分だ」

セルフディベートで批判力をつけよう

通常ディベートは2名以上でしますが、自分1人で肯定・否定の立場を考え、反論を考えて練習することは可能です。私はこれを「セルフディベート」と呼び、ゼミの授業で実施しています。以下のように取り組みます。

①テーマを設定して、自分の立場（賛成・反対）を決める
②主張のポイントを絞り、具体的な根拠を考える
③反論を想定する
④反論に対する自分の反論を考える
⑤もう一度、自分の主張を確認する

③の反論を考える時は、多くの人たちが知っている事例や共感できる内容を選ぶようにします。特別な経験や個人の見解に依拠した反論は、いくら説明しやすくても、相手を納得させることができないからです。

また、自分でうまく説明できない反論を考えたとしても、自分の主張を弱めることになり、説得力が得られません。相手に違和感を持たせず、すっきりと納得させるような反論を考える練習をして、自分の批判力を高めましょう。

【例】東京五輪開催に向けて、日本はサマータイム制を導入すべし

▶ 1 テーマを設定して、自分の立場（賛成・反対）を決める

「自分は反対の立場を選ぶ」

▶ 2 主張のポイントを絞り、具体的な根拠を考える

「開催委員会によるとサマータイムの導入を低炭素社会づくりに向けた五輪のレガシー（遺産）にするというが、手段が目的に合うのか、コストや副作用はどれほどなのか、筋道だった説明が必要」

「人々の毎日の生活リズムが崩れてしまう」

▶ 3 反論を想定する

「夏の明るい時間帯の消費拡大が期待できる」

「東京五輪マラソンの暑さ対策に有効」

▶ 4 反論に対する自分の反論を考える

「ヨーロッパでは制度廃止の機運が高まっている」

「マラソンのスタート時刻を早めれば済む」

▶ 5 もう一度、自分の主張を確認する

「システム改修の負担が重く、東京五輪に間に合わない」

「生活リズムが崩れることで健康被害が起こる懸念がある」

クリティカルリーディングで本を批判する

海外の大学のレポート課題には、文献を読み込んで「要約」「説明」「考察」「批評」するというものがあります。それぞれは課題によっては同義と捉えていい場合もありますが、厳密には目的が違うものです。正確に理解していないと、課題の主旨が違うため減点されることもあります。（私も、留学当初はよくまちがえました……）。

とくに取り組むのが難しい課題が、「クリティカルリーディング（批判的読書）」です。クリティカルリーディングは、文献を読み込んで、正確に理解したうえで内容を要約し、

「なぜ著者はそのような主張をしているのか？」
「その内容は本当に正しいのか？」
「それについて自分は賛成・反対なのか？」

などと考えながら批判的に読むことです。基本的には、本の内容に対して批判的に自分の主張を書くことまでを含みます。

近年、インターネット上には虚偽や中傷誹謗、あたかも事実のように書かれた個人の意見、いわゆる「フェイクニュース」などがひしめき合っています。急速な情報化やIT革新による変化の激しい社会では、物事を批判的に読み取る力が求められています。クリティカルリーディングでは、単に感想を考えるのとは違い、著者の主張をより正確に理解しようと意識するため、自分の疑問や意見を整理しやすくなり、批判的な意見を組み立てる力がつきます。

読むことは「受動的な行為」と思われがちですが、クリティカルリーディングでは自分の判断で定めた何らかの基準に照らして検証して評価し、積極的に読む態度が必要です。そのプロセスでは、書き手の意向を尊重しな

がらも、自分なりの意見を持ち、書き手と議論することが求められます。

クリティカルリーディングの3ステップ

クリティカルリーディングで特に重要なポイントは、テキストに対して「自分はどう考えたのか」(疑問・承認・反論・批判など)を考えることです。次の公式のようなステップで取り組みましょう。

クリティカルリーディング＝①要約＋②問題提起＋③議論

▶ 1 要約

読んだ文献の内容を、段落ごとに1行でまとめておき(1行要約)、最後にそれらを文章に組み立てます。自分がなぜその点に着目したのか、理由・根拠をはっきりさせておいてください。

▶ 2 問題提起

要約の中から、筆者が特に重視している点を選び出し、それに対して「疑問」「承認」「反論」「批判」など自分の立場を明確にします。事実を漏れなく読み取るために、いわゆる5W1Hを意識しましょう。

▶ 3 議論

テキストに書かれている「前提」「証拠」「推論」などを取り出し、以下のいずれかの形で述べます。

①反論―否定
②反論―対案提示
③限定―補足・対案の提示
④否定的検討―肯定(補足)

結論は最後にまとめとして、これまでの内容を要約し、整理したうえで、最終的に賛成か反対かを示します。この段階では、新しい論点や意見を持ち出さないように注意してください。

「外国人が日本語を使っても不思議ではない」という文献をクリティカルリーディングしてみよう

クリティカルリーディングの3ステップを使って以下の文章を批判的に読んで、要約、問題提起、自分の主張をしてみましょう。

“今から十三年ほど前のことになるが、国際日本文化会議が京都で行われたことがある。同時通訳の設備について説明があった時、「外国人の代表は原則として英語で発表します」と通訳側の誰かが言ったところ、主催者の一人である吉川幸次郎教授が怒って「そういうのは常識外れである」と述べ、かなり激しい調子で抗議された。

確かに日本で催される国際会議では外国人は英語を使うことになっている。しかし、日本語ができても英語を話せない外国人もいるし、又、国民的プライドの一つとして英語を知っていても使いたがらないこともある。ということで吉川教授が予想なさった通り、日本語で発表する外国人代表が何人もいた。

正直に言って、私が始めて（原文ママ）欧米人と日本語で会話した時、何となくヘンな気がしたが、一旦やってみると当然のように思われてくる。

二十年ほど前にソ連旅行をしたことがあるが、モスクワやレニングラード大学の日本語科の教師や学生に会い、専ら日本語を使っていた。レニングラードのホテルから空港までのインツーリストの自動車に乗る前、三人のソ連人の女性に見送られ、丁寧な日本語の挨拶を言われた。「折角遠いところまでおいでになって下さいましたのに何のお構いもできませんでした」と言われたので、私も負けずに「いいえ、身に余るほどのご接待に与ってお礼の言葉もございません」と相槌を打った。言うべき挨拶を全部言ってからいよいよ自動車に乗った。その時始めて分ったが、私と同様に空港へ向う日本人旅行者が前から乗っていて私たちの会話をずっと聞いていた。彼は、私がソ連人ではなく、共通な言葉は日本語しかないということを勿論知るすべがなく、どうしてソ連人同士が日本語をしゃべるのかと不思議がっていたに違いない。が、空港に着くまで彼は黙っていて私の方を一度も見ようとさえしなかった。

やはり、日本人にとって外国人が日本語を話すのは不気味のようである。が、好むか好まざるかは別問題として日本語はどんどん国際語になっていっている。日本で行う国際会議の場合、日本語を使う外国人の代表が増えていっても驚くにはあたらない。

（ドナルド・キーン「国際語としての日本語」、中央公論新社『日本語の美』収録）

▶ 1 要約

英語は話せないが日本語ならできる外国人もいる。慣れてくると彼らと日本語で会話することも自然に感じられ、日本語はますます国際語になりつつあることが書かれている。

▶ 2 問題提起

アニメなどのクールジャパンを通じて、今では日本語が「国際語」として使用されている場面が多く見られるようになった。しかし、英語に比べると、日本語は使用する場面がまだまだ少なく、基本的に日本国内でしか通用しない。

▶ 3 議論

ある研究によると日本語の習得難易度は「世界トップクラス」であることが明らかにされている。グローバル化が進む世界では、学習や仕事において日本語のみで対処していくことが難しくなっており、必然的に英語によるコミュニケーションが重視される。

よって、母語である日本語を大切にする一方で、可能な限り多種多様な言語・文化を持つ人々とのコミュニケーションを図るためにも、広く用いられている英語の習得を考えていかなければならない。

COLUMN

PISAで遅れをとる日本

OECD（経済協力開発機構）が世界の国々を対象に実施しているPISA（生徒の学習到達度調査）によれば、日本の子どもたちの学力は「数学的リテラシー」「科学的リテラシー」の得点は上位を占めている一方、「読解力」は平均程度まで低下している状況にあることが問題視されています。

PISAでは、読解力は「自ら目標を達成し、知識を生かして、効果的に社会に参加するために書かれたテキストを理解し、利用し、熟考する能力」であるとされ、その中に「批評」なども含まれています。

2018年の結果では、日本の「読解力」は79か国・地域のうち15位で504点と、OECD平均の487点より高得点のグループに位置していますが、その前の2015年の調査の516点・8位から有意に低下しています。

読解力で日本の生徒の正答率が比較的低かった原因は、テキストから情報を探し出す問題や、テキストの質と信憑性を評価する問題にあるとされます。読解力の自由記述形式の問題において、自分の考えを他者に伝わるように根拠を示して説明することにも課題があるとされています。

現在、日本の子どもたちはスマホからネットのテキストに触れることは多く、検索すればかんたんに情報が手に入るようになりました。そのため、情報を選別したり精査したりする力が低下する傾向があることが、諸研究によって明らかにされています。そうした状況にあって、日本の文部科学省は「読解力向上プログラム」を実施し、その中で学校での取り組みにおける重点目標の1つとして、クリティカルリーディングを充実することが必要としています。

［PISA調査（生徒の学習到達度調査）における
読解力、数学的リテラシー、科学的リテラシーの比較］

	読解力	平均得点	数学的リテラシー	平均得点	科学的リテラシー	平均得点
1	北京・上海・江蘇・浙江	555	北京・上海・江蘇・浙江	591	北京・上海・江蘇・浙江	590
2	シンガポール	549	シンガポール	569	シンガポール	551
3	マカオ	525	マカオ	558	マカオ	544
4	香港	524	香港	551	エストニア	530
5	エストニア	523	台湾	531	日本	529
6	カナダ	520	日本	527	フィンランド	522
7	フィンランド	520	韓国	526	韓国	519
8	アイルランド	518	エストニア	523	カナダ	518
9	韓国	514	オランダ	519	香港	517
10	ポーランド	512	ポーランド	516	台湾	516
11	スウェーデン	506	スイス	515	ポーランド	511
12	ニュージーランド	506	カナダ	512	ニュージーランド	508
13	アメリカ	505	デンマーク	509	スロベニア	507
14	イギリス	504	スロベニア	509	イギリス	505
15	日本	504	ベルギー	508	オランダ	503
16	オーストラリア	503	フィンランド	507	ドイツ	503
17	台湾	503	スウェーデン	502	オーストラリア	503
18	デンマーク	501	イギリス	502	アメリカ	502
19	ノルウェー	499	ノルウェー	501	スウェーデン	499
20	ドイツ	498	ドイツ	500	ベルギー	99

信頼区間（日本）：499-509　信頼区間（日本）：522-532　信頼区間（日本）：524-534

出典：文部科学省・国立教育政策研究所「OECD 生徒の学習到達度調査2018年調査（PISA2018）のポイント」

アンガーマネジメントで批判のストレスとうまくつきあう

批判は家庭・学校・職場などコミュニケーションが生じる場面では必ずついてまわるものですが、ストレスを感じずに批判される（批判する）ことはできないでしょう。なぜなら、人は批判をされる（する）ときは無意識に「怒り」や「不安」といった感情が働くからです。脳科学や心理学では、怒りやイライラなどは「自分を守るための防衛反応」であるとされ、脳の大脳辺縁系と呼ばれる部分が活発に働いている状態であるとされます。

私たちは批判的な発言をする際に、心の中で怒りや不安などの感情を心の中に蓄積するメカニズムを持っていて、その容量を超えてしまうと、感情が「爆発」として表に噴出してしまいます。その結果ストレスが溜まり、心身に悪影響を与えることになります。

感情に飲み込まれることなく、「批判と上手につきあう」ために必要なのが、アンガーマネジメントです。「アンガー」は怒り、「マネジメント」はうまくつきあうという意味になります。

アンガーマネジメントは1970年代にアメリカで開発された心理トレーニングの1つで、以下のような効果があるとされます。

- ネガティブな感情が生じる頻度が減ることで、ストレスが減少する
- 感情にまかせた批判的な言動を抑えることで、パワハラ防止につながる
- 精神的に安定することで、コミュニケーションの効率が上がる
- 怒りを出すこと以外の適切な対処法を身につける（つけさせる）ことで、自他ともに教育や指導の質が向上する

アンガーマネジメントでは、「衝動」「思考」「行動」の3つの観点で、感情をコントロールするとされます。

衝動：「怒りホルモン」を抑える

人は不安や危機に直面するとノルアドレナリン（別名「怒りホルモン」）が放出され、血圧が上昇し、筋肉も緊張し、衝動的に攻撃態勢に入るとされます。怒りそのものは人の生理的現象なので、大切なのは衝動をコントロールすることです。

▶席を外す

具体的な手法としてよく知られているのは、「席を外す」ことでしょう。理由は何でもいいので、ヒートアップしている状況からいったん離れ、少し落ち着いてから戻れば、イライラした状況にも冷静に対処できるようになります。

▶6秒ルール

怒りを鎮めるために、頭の中で「6秒」数えることが効果的であるとされます。科学的には、いったん生じた情動的感情が理性に関与する脳の部分に達するピーク（最高値）が6秒であるということです。「6秒待つ」というより、「ピーク越えを待つ」というようなものでしょう。

思考：感情をはっきりさせる

怒り、不安、恐怖、焦り、恨み、嫉妬などのネガティブな感情にとらわれると、私たちの思考は乱れます。とくにそれらがはっきりない状態であるときや、複数にまたがっているときは、自分の感情がどのようになっているのか、またどこにあるのかを見失ってしまいます。

▶感情に名前をつける

さきほど6秒ルールの話をしましたが、会話中の6秒は思ったよりも長く感じるものです。この6秒間をいかにやりすごすかが大切でしょう。

そこで、その間に「感情に名前をつける」という方法があります。たとえば、怒りに「イラ鬼」と名づけ、頭の中で「イラ鬼さん、どうしてそんなに怒っているの？」と語りかけると、自分が何に怒りを感じていたのかを整理して冷静さを取り戻せたりします。

▶テーマ曲を入れる

さらに、感情に相応しいテーマミュージックをつけることも有効でしょう。たとえば、ゴジラのテーマミュージックなど「恐ろしいイメージ」がある曲を選びます。そして、イライラや怒りを感じた時に「おッ、またイラ鬼さんの登場」とアナウンサーばりに実況中継し、ゴジラのテーマミュージックを頭の中でBGMとして流すのです。

ぜひ一度やってみてください！　案外、効果的だとわかります。

行動：怒りをポジティブに変える

アンガーマネジメントは、自分の怒りを上手にコントロールし、過剰な言動を抑えるスキルであって、「怒らない」ための方法ではありません。怒る必要があると判断したことに対し、どのように行動するかですが、自分の感情を出すことで状況が変化することもあれば、自分の力ではどうしようもない状況もあるでしょう。たとえば、いくら注意しても相手が悪態をついてくるときなどは、感情のコントロールが難しくなるでしょう。

▶頭の中で「福笑い」

私たちは批判をしている時、自然と相手からの返答や声の調子に意識が向くのですが、それをあえて相手の表情などの視覚に集中し、「福笑い」（目鼻口の形を変えたり、ひげを加えるなど）をすると、イライラがほぼ解消します。

私も、批判していてとくに感情の高まりを感じたら、この方法を使っています。真剣に批判しているのですが、頭の中で「福笑い」をしている自分を想像するだけでも気持ちが楽になります。

ただ、あまり熱中すると本当に笑ってしまう恐れがあることと、相手の話が頭に入らないことには気をつけましょう！

▶うまくできたら自分に「ごほうび」を

自分に「ごほうび」を与えることも効果があります。怒りそうになったら「後で好きな料理を食べよう」といったように、感情をコントロールできた自身にかんたんな報酬を与えると決めるだけでもいいでしょう。その瞬間、怒りは「ストレス」ではなく、自分を喜ばせる「チャンス」に変わります。

これらのスキルは、組み合わせるさらに効果が高まります。

相手を批判することで衝動的に怒りを感じる
↓
話を止めて「6秒」数える
↓
その間に感情に名前をつけ、テーマ曲を思い浮かべる
↓
その後5秒程度で頭の中で「福笑いをする」

部下が見つからない怒りを回避してみよう

あなたの部下のBさんが見つからずにかなりイライラしていたとします。

あなた「Bさん、どこに行っていたのですか。探している時に限って、いつもいないんだから」
Bさん　「総務課へ書類を届けに行っていました。別に遊んでいたわけではありません」
あなた「隣の総務課に行くだけなのに、なんでこんなに時間がかかるのですか（イライラ）」
Bさん　「まあ、そうむかつかないで！（ダジャレでふざけ気味で）」

この状況で、「衝動」「思考」「行動」のコントロールを使って怒りを回避してみてください。

▶ 衝撃

- 6秒数えて気を落ち着ける

▶ 思考

- 自分の感情に「　　」という名前をつける
- テーマ曲「　　」を流す

▶ 行動

- Bさんのふざけた顔を逆に福笑いで真面目にする
- 前向きに考える「見当たらないときは仕事をサボっている、という思い込みがあったのかもしれない。探している時にいつもいないとは限らないし」

COLUMN

「怒らない」ことが大事なのではない

批判には「しっかり怒るべきこと」と「そうでないもの」があります。要点は、「なるべく怒らないようにする」ことではなく、「怒るべき部分に怒り」「怒る必要のない部分には怒らない」ことでしょう。

たとえば、自分の子どもが反社会的な行為をして言い訳しているなら、親がきつく批判する（叱る）ことは必要でしょう。その場合の怒りは、「愛情」の表れでもあります。

ただ、怒った勢いで余計な批判を言って人間関係や場の雰囲気が悪くなってしまったという経験はありませんか？　それは「怒ること」が悪いのではなく、その後に不適切な言葉をかけることで失敗してしまうのです。

上手に批判するには、自分の価値観と異なることがあって怒りが生じたとき、それを相手に適切な言葉で伝えることです。具体的には、怒りの背後にある感情や、自分が相手に求めていることを明確にして、相手への要望、提案として伝えるのです。

9 章

パフォーマンスする

緊張をコントロールして最高のパフォーマンスを発揮する

音楽やダンス、スポーツやプレゼンテーションなどでは、よく「パフォーマンス」という言葉が用いられます。パフォーマンス（performance）は英語・フランス語が語源となっていて「上演、人目をひく行為、成果、効率」などの意味です。

performという言葉は「per（完璧に）」「form（形づくる）」という2つの単語に分けられます。たとえば音楽の場合、曲の最初から最後まで「完璧（per）」に「演奏する（form）」ということになります。しかし、人前で話や演奏・競技などをするときに完璧であろうとすると「緊張してうまく話せない」「すぐにあがってしまう」といった悩みを抱えている人も多いでしょう。

一般的に、日本人はパフォーマンスをする際に緊張を感じる場面が諸外国の人々より多いといわれています。日本社会では集団行動を意識することが多く、他者と異なることや目立ったことをすると余計にプレッシャーがかかるためです。また、日本には「恥の文化」があり、可能な限り失敗を避けようとする傾向があるため、ストレスにかかりやすい精神性であるとされます。

ヤーキーズ・ドットソンの法則：適度な緊張が高いパフォーマンスを発揮させる

一方で、不安や恐怖による警戒心とうまくつきあう・活かすことで、歴史に残るパフォーマンスは生み出されてきました。心理学者のR.ヤーキーズとJ.D.ドットソンは、ネズミを用いた実験でストレスやモチベーションなどの適度な刺激が脳にある状態のほうが身体的パフォーマンスは上がり、刺激がないと逆にパフォーマンスは下がるという法則を明らかにしました。「火事場の馬鹿力」という表現があるように、追い込まれた状態（適度なストレスが与えられている状態）で力が発揮されるのも、緊張による筋力の向上が関連しています。

[パフォーマンスとストレスの関係]

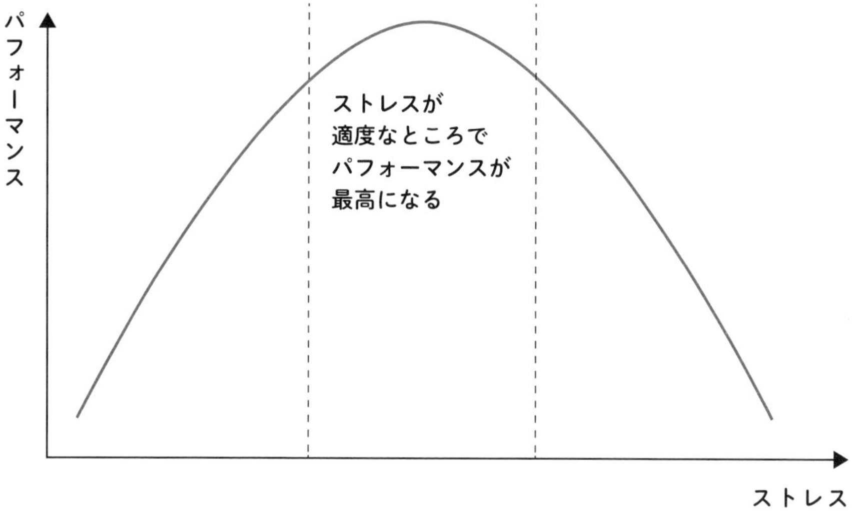

音楽を聴いて緊張に強くなる「注意トレーニング」

千葉大学医学部附属病院 認知行動療法センターの清水栄司氏は、緊張やストレスでパフォーマンスに支障が出る状況は認知行動療法によって改善されるとしています。その手法の1つが「注意トレーニング」と呼ばれるもので、パニック症や不安障害への有効性が諸研究で多く示されています。

注意トレーニングは、緊張を伴う状況や目標に対する自分の認知（考え）や身体感覚（行動）への注意を減らし、ほかの事柄に意識を柔軟にシフトさせることでストレスを回避するものです。たとえば、「閉所恐怖症」の人が込み合ったバスに乗っている時に、まわりの込み合った状況ではなく、「自分の呼吸」や「窓の外の景色」に注意を払うことで、緊張から距離をとることです。

いろいろな楽器の音に、順番に意識を向けて「注意トレーニング」をしてみよう

音楽を聞いているときは、メインボーカルの声や主旋律だけに集中してしまうことが多いですが、さまざまな楽器の音に意識を向けて聴くようにするという「注意トレーニング」があります。次のステップでやってみてください。

▶ 1 自分が好きな曲を選んで聴く

たとえば、映画「アナと雪の女王」の主題歌「Let it go」などよく知られた曲がいいでしょう。注意深く聞くことで、それまでまったく聞こえてこなかったさまざまな音が組み合わさっていることがわかります。

▶ 2 順番に注意（意識）を変える

最初はピアノの旋律だけを追いかけ、2番目にバイオリン、3番目にドラム、4番目にボーカルというように、注意を向けるところを変えてみましょう。

イントロからしばらくは、ピアノの音がよく聞こえてくるでしょう。よく聞くと、そこにバイオリン（オーケストラ）の音が重なり、曲が盛り上がるにつれてドラムが聞こえてきます。

▶ 3 もう一度全体を聴く

聞き直して、集中して聞いていた音が全体の中の一部でしかないことを確認します。これによって、客観的に全体を把握する感覚が得やすくなります。歌の旋律だけではなく、各楽器がそれぞれどのような音やリズムになっているかに注意を払うことで、曲全体の構成に集中力が向くでしょう。

日頃からこの練習をしておくことで、緊張しやすい場面でも、自分以外の物事など注意を向ける先をコントロールできるようになるとされます。

COLUMN

緊張を解消するかんたんな方法

パフォーマンス中に緊張のあまり本来の能力が発揮できないという状態は速やかに回避しなければなりません。以下では緊張してしまう場面ですぐにできる、かんたんな解消法を紹介します。

腹式呼吸法

呼吸は自律神経にも影響を及ぼすといわれており、意識的に息をゆっくり吐くことで心を落ち着かせることができます。次の手順で腹式呼吸法をおこなってください。

①最初に口をすぼめながら、できるだけゆっくりと息を吐き切る
②ゆっくりお腹を膨らませるイメージで、息をお腹いっぱいに吸う
③この流れを5～10回繰り返す

かける時間は、吸う：吐く＝1：2を目安にしてください。

手のツボを押さえる

不安で緊張が高まっているとき、手のツボを押すことで不安や緊張を鎮め、気持ちを落ち着かせる効果があるとされます。代表的なツボを3つ挙げます。

■ 労宮（ろうきゅう）
⇒拳を握って、中指と薬指の指先の間。副交感神経を優位にして、疲労回復や、緊張した筋肉を和らげる効果があります。

■ 神門（しんもん）
⇒手首のシワ、薬指の延長線上。心と深い関係のあるツボとされ、不安や緊張に効果があります。

■ 合谷（ごうこく）

⇒親指と人差し指の間、やや人差し指寄り。「万能のツボ」と呼ばれ、緊張した筋肉を和らげる効果があります。

イメージトレーニング

自分が成功したイメージや成功体験を徹底的に刷り込むことによって、脳を活性化させる方法で、プロスポーツ選手などもおこなっています。普段の練習のときのいいイメージを強く植えつけておけば、本番でも脳は「いつもと同じだな」と感じ、緊張せずに平常心で臨めるとされます。

スライドと伝え方を工夫して理解しやすいプレゼンにする

学校教育や学会発表、ビジネスでも、いまやパワーポイントなどを用いたプレゼンテーションは不可欠なものとなっています。ですが、内容の構成やデザイン、実際に発表する際のスキルを欠くことによって、効果的とはいえないケースをよく見かけます。

聞き手の関心を引きつけるプレゼンは、「スライド」と「伝え方」の両柱で構成されます。スライドがよく整理され理解しやすいものであってもどこがポイントかわからない退屈な話し方では飽きてしまいますし、逆にどんなにスピーチが流暢でもスライドが見づらい（情報が多すぎるなど）と聞き手の理解を妨げてしまいます。

スライドは「形式」と「構成」がポイント

スライドの作成では、形式と構成がポイントになります。

形式で注意すべきなのは、以下のようなことです。

■ 文字は大きめに（小さいと後ろの人が読めない）

■「はじめに」と「まとめ」での整合性をとる

■ スライドとスライドのつながりを意識する

■ 各スライドで伝えたいことをまとめる

（1つのスライドで説明できることはせいぜい2個まで）

■ 字や図を視線の流れに沿ってレイアウトする

■ 文字はできるだけキーワードにし、「見て理解できる」文字数にする

■ だれもが読みやすいフォントを選び、基本的に1種類に統一する

■ 色は多用しない（内容を把握するのに効果的なのは最大4色とされる）

■ アニメーションは高度で複雑なものは使わず、見せたい順に設定する

構成については、「イントロダクション」「ボディ」「クロージング」の3つが基本になります。

▶ イントロダクション（導入）

聴衆の興味関心を引きつけるための「つかみ」の部分です。インパクトのある事実やデータを提示したり、聞き手に質問したりして、プレゼンのテーマや目的、伝えたいメッセージを明確に示します。

▶ ボディ（根拠・理由・事例）

プレゼンの「本論」の部分です。4パートの中で最も時間をかけて自分の主張を十分に伝えることが大切です。

ボディは「結論→根拠→具体例・エピソード」という順番で構成します。最初に伝えたいことを明確にし、その後で納得のいく根拠を示します。結論を最後にすると、聞き手は話し手が何を言いたいのかが最後までわからず、イライラしてしまう可能性があります。

もし抽象的な説明になる場合は、具体例やエピソードを挙げてわかりやすくします。

▶ クロージング（結論）

プレゼンの「締めくくり」の部分にあたります。今後の展望などを話します。

スライドのドラフト（案）ができたら、一度「スライドショー機能」で始めから終わりまで再生し、全体の流れに違和感がないか、わかりにくいスライドがないか確認しましょう。本番でスピーチする様子を想像しながら何度も見直すことで、よりプレゼンの効果を高めることができるでしょう。

話し方と非言語的要素の両面に配慮して伝える

スライドが完成したら、今度はいかに効果的に伝えるかを考えなければなりません。人前で話すときには、話し方と非言語的要素の両面が大切になってきます。

[伝え方のポイント]

話し方

- 話すスピードは、1分間で300文字のペースでゆっくり目に
（アナウンサーの読む速度がこれぐらいと言われている）
- 全体に聞こえるように大きめの声にする
（手元の原稿を読む、小声でボソボソと話すのでは、聞き取りにくくて、聞き手がストレスを感じる）
- 声のトーンに気をつけ、はっきりと話すことを心がけ、やや低い声を意識する
（特に高い声の女性は低めの声を出すようにすると信頼感が増す）
- 言葉づかいは「です・ます」調を基本に、「体言止め」を使うと、聞き手に伝わりやすい
- ドックワード（「えー、○○が」など）を極力我慢する
（内容がすぐに出てこない時にも間を怖がらない）

非言語的要素

- 表情：笑顔を基本に、話す内容によって喜怒哀楽の表情にする
- 視線：会場全体を見渡す（アルファベットのZのように）3秒ずつ出席者の目を見る
- ジェスチャー：スライドの内容に応じたジェスチャーを入れる
- 動き：同じ場所にずっといるのではなく、適度に動く

一般的に人の集中力は、5～10分程度といわれており、はじめてその話を聞く人にも興味を抱かせ、聞き続けてもらわなければなりません。伝えたい内容や流れがはっきりしていて、スライドがシンプルでわかりやすいものであることは大前提です。

プレゼンメモを作成し、発声練習をして、本番に備える

これらをしっかりとふまえながら、本番までにリハーサルを繰り返しましょう。その際は、スライドづくりに多くの時間を費やすのではなく、発表の練習にこそ時間を割いてください。練習を重ねれば自信が生まれ、聴衆とアイコンタクトをとったり、ユーモアを交えたりする余裕も生まれます。伝えたいメッセージが聞き手に届くことが、発表の一番の目的です。

リハーサルにあたっては、プレゼンメモの作成と、発声練習をしておくことをおすすめします。

▶ プレゼンメモ

プレゼンメモとは、プレゼンで話す内容をかんたんに書き記した「カンペ」のことです。プレゼンメモにはキーワードだけを書くようにして、キーワードを見れば話すべき内容がすぐに頭に浮かぶくらい、練習することが大切です。

プレゼンテーション会場に持ち込むメモは、手書きでもワープロソフトで作成したものでもいいのですが、パワーポイントの「ノート」機能を使うとスライドごとにメモを素早く作成できますし、スライドとメモをまとめて印刷できて便利です。

▶ 発声練習

私のスピーチクラスでは、3つの発声練習をしています。

- ニュースキャスターなど「話のプロ」の喋り方を見て真似る
- 「抑揚、強弱、間」を意識して新聞記事や本を朗読する
- 自分の話し方を録音して、聴いてみる（声の大きさ・質・話し方）

携帯の録音機能などを使って、自分の話し方を客観的に聞いて改善点に気づくのが、話し方を向上させるうえでは大切です。

リハーサルは5回を目安に

プレゼン上手な人は、リハーサルを最低5回程度するといわれています。1回ごとの練習で「目的意識」を持って練習することです。

▶1回目：発表時間とスライドのチェック

時間内に収まるかを確認し、わかりづらい箇所を修正します。スライドのさらなる改良を意識しましょう。

▶2回目：声の出し方・休止のチェック

声の「抑揚」「強弱」「間」を意識して話してみましょう。

▶3回目：記憶のチェック

メモを読まないで、どれくらい内容が頭に入っているかを確認しましょう。

▶4回目：非言語面（表情や視線、身体の動き、見かけ）のチェック

表情（笑顔・真剣さ）、視線（全体を見渡す）、動作（ジェスチャー、移動）、立ち姿勢などを意識してみましょう。

▶5回目：実演形式でチェック

これまでのチェックをふまえ、本番だと思って取り組みましょう。熱意が伝わるかどうかを確認してください。

1～5回目までのリハーサルの際に、ビデオに撮ってセルフチェックしたり、友達、同僚、先輩などからフィードバックをもらって聞き手の目線の要素を反映させると、さらに効果的でしょう。

5枚スライドで自己紹介してみよう

プレゼンのポイントをふまえ、5枚のスライドで自己紹介をしてみましょう。

所要時間は5分、スライド1枚につき1分（または本論にかける時間を少し増やすなど調整する）です。

スライドの1枚目が「イントロダクション」、2～4枚目が「ボディ」、5枚目が「クロージング」です。特に「ボディ」の部分にかける時間を増やすなど調整しながら発表してください。

- 1枚目：自己紹介（年齢、出生地、学歴や職歴、家族構成、趣味など）
- 2枚目：自分の性格の特徴（コミュ力が高い、おおらか、楽天的など）
- 3枚目：なぜそのようになったのか（家族の雰囲気や友達関係など）
- 4枚目：性格の良い面と悪い面（過去・現在の経験など）
- 5枚目：今後の展望（将来の夢、性格を生かした仕事、結婚相手など）

スライドを5枚に収めるために、1枚のスライドに無理やり情報を詰め込むのはNGです。たとえば、1枚のスライドにグラフを2つ入れてしまうと、理解が難しくなります。1枚のスライドをシンプルにするよう心がけ、もし必要ならば1枚程度スライドを増やしてもかまいません。

原稿などを棒読みするのではなく、キーワードだけのかんたんなメモを作って、適宜見ながら話を進めてください。

「自己紹介」ならば、比較的かんたんにスライドが作成できると思います。ですので、「伝え方」のポイントに重点を置いて、練習を繰り返してください。そうすることで、本番でいい効果が発揮されるでしょう。

COLUMN

PREPによる構成

イントロダクション、ボディ、クロージング以外によく知られる構成の基本の型として、「PREP」があります。PREPの構成によって、聞き手は次のように理解を進めます。

P：どういう話が始まるのか、大枠・要点・主張がわかる
R：主張の事実やデータを提示することで、真実性が増す
E：具体例を聞いて、話の要点がイメージしやすくなる
P：再度、要点や主張を聞くので、頭の中で内容がまとまる

理由や根拠が複数ある場合、「ポイントは3つあります」と先に伝えると聞き手の関心を引きつけられます。

［伝え方のポイント］

Point	結論、要点、一番伝えたいことを伝える
Reason	理由、証拠を伝える（なぜならば～）
Example	事例、具体例を伝える（たとえば～）
Point	もう一度、結論、要点、一番伝えたいことを伝える

ロールプレーで違う立場の人の気持ちを理解する

私が専門とする比較教育学は、各国の教育の営みを比較して人間形成に関する理解を深めつつ、いかにして個々人の学習能力を向上させて自己実現につなげるのかを探究することを目的としています。ですが、教育に関する概念や事象には抽象的かつ複雑なものがたくさんあり、言葉で説明するだけではなかなか伝わりません。それらを円滑にする手段の1つとして挙げられるのが、ロールプレーです。ロールプレー（ロールプレイング）は、「role（役割）」と「playing（演じる）」の組み合わせから生まれた言葉で、現実に近い状況を設定し、参加者に特定の役割を演じさせることで物事への視点の客観性を高め、自分では気づかなかった日常生活での課題や問題の解決したり、自分を再発見することを目的とした学習方法です。

欧米圏の学校では義務教育の段階からロールプレーが積極的にとり入れられており、他者の目線に立つ楽しみを感じながら主体的に学習する習慣があります。

ロールプレーの効用

ロールプレーは、精神医学者ヤコブ・モレノが開発した心理劇から発展したものです。医師が舞台監督のようになって、筋書のない劇に患者に自発的に参加してもらい、彼らの無意識の欲求や感情を演技してもらうことを通じて治療をおこなっていく、集団心理療法として開発が進められています。ロールプレーには、以下のような効果があることがわかっています。

- 実際の人間関係（親子・教師—生徒・上司—部下）を推測できる
- まちがって記憶したり、誤ったやり方をしたりしていることが明らかになる

- 互いにいい点をまねたり、悪い面を回避したりすることができる
- いろいろな疑似体験をすることで、他者の視点で認識を共有し、経験不足を補うことができる

これらは受け身型の授業や座学や本では得られない、ロールプレーならではの効用でしょう。

ロールプレーのカテゴリーと手法

ロールプレーは、基本的には参加者がそれぞれの役割を演じ、人と人とがお互いに対応する場面を体験するというもので、次のようなカテゴリーと種類があります。

▶ケース型ロールプレー：現状の把握と他者視点の理解

実際のケースを再現する中で、互いに相手の役割を演ずることで、相手への理解が深まり、新たな自己の再発見が期待できるとされています。一般的に、学習場面やビジネス研修では再現法、役割交換法がよく用いられています。

- 再現法：日常生活の場面をそのまま再現する
- 役割交換法：自分と相手の役割を相互に交代して演じる

▶モデリング型ロールプレー：ロールモデルの模倣とスキルの習得

1人の代表者がロールプレーして、それをほかの全員が模倣するという手法です。全員が同じスタンスに立ってイメージを共有することで、スキルやふるまいなどを学習します。代表的な手法に以下のようなものがあります。

- 鏡映法：主役と本人が対面しながら、本人が主役の動作をまねる。自分の姿（しぐさや言葉）を演じてもらい、自己を客観視する

- 二重自我法：主役と一体になって、主役の代わりに言葉を発したり動いたりする
- 魔法の店法：なんでも買ったり売ったりできる「魔法の店」という空想的な場面を設定し、店員と客の役が協力することで演技や言動の訓練をする
- 未来投影法：現在の言動に肯定的、積極的に関与しつつ、未来の発展につなげる意欲と態度を引き出す

▶グループロールプレー：多様な視点の獲得と問題の解決

それぞれの立場を演じることで、視野を広げて物事を考え経験し、それまで気づかなかった対応方法を考えるヒントを得るものです。代表的な手法には以下のようなものがあります。

- ケース型：特定の場面を想定してどのような対応をするのか、そのアプローチが適切なものであるかを演じて、相互にフィードバックする
- 移動法：状況を変えることで、役割を移動させていく
- ロールリバーサル法：相手と立場を交換し、言動や行動を再現するなどして、相手の感情や行動を追体験する
- 加入法：ある状況を作って、そこに次々と主役を引き入れていく。1人で役割を演じるのが難しい場合は、いっしょに演じてもらうなどの工夫をする

ロールプレーのやり方

一般的に、ロールプレーは次の手順で進行させます。

▶ 1 テーマを設定する

「いじめ問題」「顧客のクレーム対応」など、シチュエーションを具体的に設定します。

▶ 2 ロールプレーの観点を決める

「いじめの傍観者心理」「顧客のクレームの言い方」など、テーマに関する重要な視点を3〜5つ決めて、その点について深く考察します。あわせて、何を習得することを期待するか、演じる時間の長さ、観察点なども伝えてください。

▶ 3 ウォーミングアップする

はじめるにあたって、気楽に演じられる雰囲気づくりをします。

▶ 4 役割を決める

おもに、次の3つの役割があります。

- 進行係 ⇒ ロールプレー全体の進行を管理する
- 演技者 ⇒ 登場人物を演じる
- 観察者 ⇒ 演技を観察し、フィードバックをおこなう

ロールプレーは、観客がいると恥ずかしさを感じてしまったり、演者同士が遠慮しあってぎこちないやりとりで進めてしまうことがよくあります。リハーサルを重ねて、参加者が与えられた役割に心から入り込むことで、本当の姿や状況を生き生きと演じることができます。

▶ 5 実演する

設定したテーマについて役割分担して、ロールプレーを始めます（進行役は指示を出す）。次の両面をしっかり押さえながら演技します。

- 言語面 ⇒ 演じる役の発言の内容や論理性、言葉づかいなど
- 非言語面 ⇒ 表情、身ぶり、目線や姿勢、対人距離など

このとき、ビデオ録画をしておくのも効果的です。

▶ 6 フィードバックする

最初の設定で決めた観点に基づいて、メモしたことをもとに、演技者に

しっかりとフィードバックします。気づいたこと、感じたことは、細かなことでも伝えましょう。改善点だけでなく、よかった点、見習いたい点も伝えることが重要です。

▶ 7 最終評価をする

演技終了後、観察者はテーマについての気づきや、演技者の感情のあり方についてコメントをまとめて発表し、ディスカッションして評価します。

この後、再演したり、ビデオ録画をしていればそれを再生して、問題となったシーンを確認するのも1つの方法です。

ケース型ロールプレーをやってみよう

過去の事例などを参考しながら、問題が発生した状況をロールプレーによって把握し、対応を考えてみましょう。

人数：3人
所要時間：50分

▶ 1 テーマを設定する(10分)

ここでは「日本語の勉強の仕方がわからない留学生にどう対応するか」という例で考えてみましょう。留学生は、来日して間もなく、かんたんな日本語でも表現がままならず、片言の日本語やジェスチャーだけで伝えることになります。

▶ 2 ロールプレーの観点を決める(10分)

- 日本語のコミュニケーションが困難な留学生の気持ちを理解する
- 日本語の知識が少ない人にアドバイスを与える時に、日本人が注意する点（専門用語、オノマトペの多用など）
- 2人が円滑にコミュニケーションをするための工夫

▶ 3 ウォーミングアップする（5分）

▶ 4 役割を決める（5分）

以下の役割が必要になります。

- 進行役
- 留学生役
- 日本人学生役

▶ 5 実演する（10分）

設定したテーマにもとづいて、役割分担してロールプレーをします。

留学生役は、日本人の大学生ならかんたんに理解できる日本の言葉や言い回し（「テキパキ」「大丈夫です」など）がわからないというように、困った状況を演じます。

日本人学生役は、留学生の状況を考えて、可能な限りやさしい日本語表現を使って（抽象的な表現を極力用いずに）伝える努力をしている状況を表現します。

▶ 6 フィードバックする（10分）

進行役は、観客や演技者に対して質疑などを促します。

【留学生役の質問の例】

問1. 日本人学生の言っていることがわかりましたか（難しい、わからない表現があったか）？

問2. 話を相手にわかってもらえましたか？

問3. 日本人学生に「効果的な日本語の勉強法を知りたい」という旨を伝えることができましたか？

【日本人学生役の質問の例】

問1. 留学生の言っていることはわかりましたか？

問2. 留学生はあなたの言っていることを理解し、適切に反応していましたか？

問3. 留学生はこの場面で必要とされる最低限の目的（日本語の勉強法を知る）を達成できましたか？

問4. 留学生とやりとりするにあたり、特別な努力や配慮が必要でしたか？（ゆっくり言い直す、相手の発話を辛抱強く待つ、相手の言いたいことを推測して確かめる、など）

問5. 学習者は、この場面で必要とされる最低限の目的だけでなく、プラスアルファの目的も達成することができましたか？（新しい言葉や表現の獲得、非言語コミュニケーションなど）

▶ 7 最終評価をする（5分）

「テーマが適切に設定されていたか」
「課題が具体的に理解できたか」
「演技が自然であったか」

などをふまえ、全体的によかった点と改善点を話し合ってください。

ほかにも、身近に起こりうる問題を想定して、実際にロールプレーを練習してみましょう。

- 家庭：ペット嫌いの父親に、犬を飼いたいことを伝える子ども
- 学校：友人が部活を辞めることを先輩に話すかどうか迷っている
- 仕事：クレーマーから返金と過剰な謝罪を要求されている

ノンバーバルコミュニケーションで良好な人間関係を構築する

同じ言葉を話しても、表情やしぐさによって、受け取られ方は変わってくるものです。たとえば、あなたが友達に「おはよう」と声をかけたとして、以下それぞれの場合であなたが受ける印象はどうでしょうか。またその後の相手の関係はどうなると思いますか。

Aさん：あなたの顔を見てにっこりとあいさつを返した
Bさん：笑顔で会釈だけした
Cさん：顔を上げずにあいさつをした
Dさん：下を向いているだけ

Aさんには好印象を持ち、その後の関係が良好になると思います。
Bさんにも、Aさんほどではないにしても、いい印象を受けるでしょう。笑顔はいいコミュニケーションの基本です。
Cさんには、場合によりますが（忙しい時など）、「何かあったのかな」と疑問に思うのではないでしょうか。
Dさんには不安な気持ちになり、場合によっては「無視された」という怒りの感情を持つかもしれません。
コミュニケーションというと言葉の要素を思い浮かべてしまいますが、じつは表情やしぐさ、口調、視線などといった言葉以外の表現も使ってコミュニケーションをとっています。こうした言葉によらないコミュニケーションはノンバーバル（非言語）コミュニケーション（以下「NVC」とします）と呼ばれ、言葉によるメッセージの伝達と同様に、学習や仕事における良好な人間関係やコミュニケーションの構築に欠かせないものです。
リモートワークにより遠隔による対面コミュニケーション機会が増加している今日、画面越しで取り交わされるNVCであっても、相手との関係性を築く重要なカギとなると考えられるでしょう。

NVCの3つの基本

パフォーマンスで特に大切なNVCは、「パラ言語」「表情」「身ぶり」の3つです。

▶ パラ言語(言葉を発する際の声の大きさや話すスピードなど)

声のトーンや大きさなど、人間は細かい変化を無意識に感じ、相手の印象が決まります。たとえば、声のトーンが低いと「気分が沈んでいる」「怒っている」という印象を与えますし、逆にトーンが高いと「気分が高揚している」「喜んでいる」という印象を与えます。

伝えたいメッセージは大きな声でゆっくり話し、集中して聴いてもらいたいときは逆に小さい声で話したり早口で話すことも効果的です。声が一本調子だと、だれもが飽きてしまいます。

話のスピードや、間に挟む「間」なども重要な要素の1つです。大切な言葉を伝える直前に少しの「間」を入れると、聴衆の関心を引き寄せることができます。

▶ 表情(喜怒哀楽)

表情は、感情を伝えるための大切な手段です。その話に関連した喜怒哀楽を表現すると、話にリアリティを感じさせることができます。

「外国にはおもしろいファッションがあって!」 ⇒ 笑顔
「インフルエンザがピークに達していて」 ⇒ 真剣な表情
「昨年大切な友人を亡くして」 ⇒ 悲しい表情

視線のあり方も、印象に残りやすいものです。できるだけまわりにいる1人1人と視線を合わせることを意識してみてください。話すときには、ワンセンテンスごとに、1人1人の眼をしっかり見て話します。

▶ **身ぶり（ジェスチャーなど）**

プレゼンなどのときに「手」や「身体」を使うジェスチャーや動きを取り入れると、聞き手に物の大きさや量、形などを視覚的にわかってもらうことができます。音声情報に手の動きをプラスすることで、より聞き手にイメージさせることができます。

「こ～んなに大きい犬が」 ⇒ 手を大きく広げる
「ポイントは3つあります」 ⇒ 3本指を立て「第1、第2、第3」
「思わず『ドキッ』としました」 ⇒ 胸に手を当てる
「あなたはどう思われますか？」 ⇒ 手のひらを上に向けて指す

手でNVCをする場合は、胸よりも上の位置で、大きくゆっくり動かすのがコツです。手をちょこまか動かす動作はせわしない印象を与えるのでNGです。

以下では、特に大切とされるNVCの要素について、自分でできる練習法を紹介します。朝に鏡の前で自分の顔を見ながら、あるいは会社の個室などで、エクササイズしてみてください。

発声の練習「あいうえおエクササイズ」をしてみよう

とてもかんたんですが効果的な練習法です。

▶ **1 大きな口を開けて、「あ・い・う・え・お」と短く発声する**

▶ **2 「あー」「いー」「うー」「えー」「おー」と1音ずつしっかり口を開けて、わざと大げさな表情をつけながらゆっくり発声し、5回繰り返す**

▶ **3 慣れたら「あいうえお　いうえおあ　うえおあい　えおあいう　おあいうえ」をできるだけひと呼吸で言う**

ちなみに、私は毎日、外郎売の早口の部分を3分間諳んじています。外郎売は、歌舞伎の演目に出てくるセリフのことで、アナウンサーをはじめ声優や俳優などが実践している滑舌練習法です。

笑顔の練習「割り箸トレーニング」をしてみよう

笑顔は、他者に好印象を与える最も大切な表情です。意識することで、自然に表情が作れるようになります。

▶ 1 割り箸の中央部を前歯でくわえ、上下の唇の力を抜く

▶ 2 そのまま口角だけを上げて、両方の黒目と同じ幅まで広がったら10秒キープする

▶ 3 ゆっくり元の表情に戻し、上記の1と2を2〜3分間繰り返す

割り箸を使わない方法もあります。

▶ 1 口角を上げて元に戻す運動を1分間繰り返す

▶ 2 頬の筋肉をもち上げて目が細くなる状態と、元に戻す表情筋の運動を1分間繰り返す

動きの練習「会話中にジェスチャー」をしてみよう

友達や同僚との会話中に意識してジェスチャーをしましょう。次の2点を念頭に置いてください。

- 動作は大きく、ゆっくりと、大胆にする
- 使用する場所を決めておく（会った時や別れ際など）

以下は例です。

「おはよう！」 ⇒ 元気に手を上げる
「急いで帰らなきゃ」 ⇒ 速く走るように大きく手足を振る
「指先まで凍るほど寒い日です」 ⇒ 指先を温めるような動作をする

会話が進むにつれて話が単調になったときも、ジェスチャーを取り入れるといいでしょう。ただ、ジェスチャーはあくまで言語や音声の表現を補助するものなので、多用しすぎるとインパクトが薄れ、ぎこちない印象になってしまいます。抑揚、間などの表現もあわせて注意してみましょう。

COLUMN

NVCの7つの種類

米国テキサス大学の名誉教授でコミュニケーションの研究者であるM.ナップによれば、NVCコミュニケーションは次のように分類されます。

①身体の動作（身ぶり、姿勢、表情、視線、まばたき、瞳孔の収縮など）
②身体の特徴（容貌、スタイル、頭髪、皮膚の色、体臭など）
③接触行動（握手する、抱擁するなど）
④近言語（泣き・笑い、間投詞など）
⑤プロクセミックス（対人距離など）
⑥人工物の使用（服装、装飾品、化粧など）
⑦環境（内装、照明、温度など）

あとがき
今こそ「学びの呼吸」を

本書は、私自身のこれまでの学びに関する知識と実践の集大成です。担当編集者のサポートを受けながら、自分が思っていたよりも短期間で書き上げることができたと感じています。

その理由は何でしょうか？　それは、オックスフォード大学をはじめ、世界のトップクラスの人々に共通する学び方の「型」がはっきりしているからだと思っています。本書のエピソードを思い返していると、元クラスメートや同僚、そしてともに学びに励んだ学生たちの様子がいきいきとよみがえってきました。

世界のトップクラスの人たちは、それぞれが得意とする「学びの呼吸」の型を習得していて、学習や仕事の場でフルに発揮しているのだと気づかされました。本書の執筆を通じて改めてそのことを再認識し、1つの形にできたことをうれしく感じております。

現在私は、国際色豊かな東京外国語大学で20年以上にわたって比較教育学や異文化コミュニケーションについて教鞭をとっています。日本人だけでなく留学生もたくさんいる教室で授業をしていて、学びのあり方を工夫することで学生たちの様子がかなり違ってくることに、あるとき気がつきました。座席を円形にして学習するだけでもそうなるので、学生主体のロールプレー（寸劇による発表）などをとり入れると、かなり違った光景が見えてきます。

比較教育学の研究対象となっている授業実践法でも、教え手が学習のあり方をあれこれ試してみるよりも、「学び手の特徴・関心に合わせる」ほうが大切ではないかと考えるようになりました。学ぶ側の特徴に合わせることは、1人1人の「息に合わせる」、つまり「呼吸」そのものであり、ひいては主体性と情熱が高まり、教育の質が確実に深まっていくのです。「もしかしたら学びの呼吸こそが、世界に共通する普遍的な学習コミュニケーションではないのだろうか」と確信しました。

「学びの呼吸」はあなたの人生を変える――私は本気でそう思っています。多くの人が自分の得意とする「学びの呼吸」の型を知り、かつ鍛えることで、学習習慣が変わり、人間関係が変わり、そして人生が変わると思うのです。

「学びの呼吸」は、音楽のようでもあります。息を吸って吐くことで、歌や楽器、リズムが生まれ、人々を感動させるのです。

本書を読み終えてわかることは、国や文化背景の異なる人々の間の教育やコミュニケーションは、特異なものではなく日常的なものであるということでしょう。グローバル社会では、国籍が同じでも文化背景が異なることが往々にしてあります。同じ日本人であっても、学び方は同じではありません。

突き詰めていくと、1人1人の「学びの呼吸」には違った特徴が見られます。従来の日本の教育では、そうした個人の学びに対する長所を十分に活かし、伸ばすことが難しいと思われます。知識の詰め込みだけでは、インプット学習のわずかな側面しか知らずにいる状態です。日本の学校での成績があなたのすべての能力を表しているのではありません。

常にテストで満点をとっても、英語が堪能でも、スポーツ・芸術が万能でも、学びに情熱や楽しみを感じることができなければ、人生は物足りないでしょう。そのように感じている方々が迷いから抜け出し、開放感のなかで学ぶ喜びを実感することに本書が少しでも役立てば幸いです。「学びの呼吸」の基本を習得して自信に溢れ、そこからさらに独自の「型」を編み出してください。

本書を執筆したタイミングは、ちょうど世界でコロナが猛威を振るい始めた時期と重なりました。未曾有のウィルス蔓延によってたくさんの人々が苦しみ、尊い命が失われました。また、緊急事態宣言によって学校は一斉休校になり、子どもたちは通常の学びができなくなりました。

先行きが見えない、閉塞的な状況のなかで、いかにして個々人の学びを最大限にできるのか。本書を書いているとき、私は今この時期だからこそ「学びの呼吸」について書き留め、読者の皆様に伝えたいという使命を感じていました。

ここで少しだけ、現在私が取り組んでいることについて書かせてください。私のライフワーク研究の1つは「教育の機会均等」で、それを実現するための諸活動に携わっております。さまざまな理由によって教育を受けることが困難な状況に置かれている子どもたちに教育機会を提供し、逆境を乗り越え自己実現できるように、種々の学習支援をしています。現在私が理事長を務める府中市NPO法人地域教育ネットでは、放課後学習支援などを通じて日本の未来を担う子どもたちの夢を叶えられるよう、微力ながら努めてまいりました。国際NGOチャイルド・ファンド・ジャパンの国際担当理事として、貧困国の子どもたちへの支援活動もしています。ほかにも、私は大学や学校、企業、一般市民の方々を対象とした異文化理解やコミュニケーションスキル、学習法などの講演・セミナーを実施し、好評を得ています。こうした取り組みや講演などに関心がある方は、ぜひご一報ください。東京外国語大学のHPに私のメールアドレスが記載されています。

http://www.tufs.ac.jp/

最後に、本書の出版を実現してくれた方々に感謝の気持ちを伝えたいと思います。

技術評論社の傅智之さんは、企画段階から率直な意見をくれ、出版の道のりをリードしてくれました。傅さんは東京外国語大学を卒業され、言語や異文化についての知識に長けておられるので、適宜アドバイスをいただきました。心から感謝申し上げます。また、傅さんを紹介していただき、本書を出版する機会をつくってくれた、ゼミ卒業生の松本崇嗣さんにお礼申し上げます。

コロナで経済的困難に直面しているご家庭にいち早く支援の手を差し伸べた、あしなが育英会の玉井義臣会長に敬意をもって御礼申し上げます。

教育の機会均等の実現に向けて多大なる貢献をされてきた大先輩として、日頃からご教示をいただいております。

この本に書かれている内容は、オックスフォード大学の恩師やクラスメートから学ばせてもらったことです。そして、東京外国語大学の比較教育学ゼミの学生・卒業生のみなさんとの実践記録といってもいいでしょう。私のゼミに来てくれてうれしいです。たくさんの思い出は、私の生涯の宝です。

そして、いつも私を支えてくれている家族に心からお礼を言いたい。コロナ禍で会うことがままならない郷里の母親は、この歳になった私をまだ子どものように心配してくれます。

執筆中、笑顔で励ましてくれた娘たち。まりや、奈々、本当にありがとう。

索引

数字

アルファベット

あ

い

う

え

お

か

き

す

せ

そ

た

ち

つ

て

と

な

に

の

は

ひ

ふ

へ

よ

ら

り

る

れ

ろ

わ

岡田昭人（おかだ あきと）

東京外国語大学大学院総合国際学研究院教授。日本語・コミュニケーション学会会長、留学生教育学会副会長（理事）、元日本国際教育学会副会長、英国British Association of Japan Studies会員、辻国際奨学財団選考委員、府中市国際交流事業選考委員、稲城市姉妹友好都市交流協会国際交流会委員長、チャイルド・ファンド・ジャパン理事。同志社大学で経営学を学んだ後、ニューヨーク大学大学院で異文化コミュニケーション修士号を取得。バブル経済の中、就職を考えず片道切符で渡米。オックスフォード大学教育学大学院で日本人で初めて教育学で博士号を取得。東京外国語大学で20年以上にわたって日本人と留学生に教育学や異文化コミュニケーション学を教えている。国連インターンシップへの派遣支援など大学内外の教育の国際化や留学事業を推進するプロジェクトに多く参画している。大学のアクティブラーニングやインターネットでの公開講座をふくめ、高校生や一般の人々への教育啓蒙活動を展開。英国式教育の研究と実践を考える学会や研究会でもリーダーシップを発揮。NPO法人地域教育ネット理事長として府中市で社会的・経済的困難な家庭の中学生に対する無償学習支援活動をおこなっている。不登校の子どもたちの居場所作り活動もおこなっている。「ビートたけしの日本人白書」「爆笑問題の日本の教養」ほか、テレビ出演・講演多数。著書に『世界を変える思考力を養うオックスフォードの教え方』（朝日新聞出版、『人生100年時代の教養が身につく オックスフォードの学び方』として文庫化）、『オックスフォード流　自分の頭で考え、伝える技術』『オックスフォードの自分を変える100の教え』（PHP研究所）、『教育学入門　30のテーマで学ぶ』（ミネルヴァ書房）などがある。

【ホームページ】
http://www.tufs.ac.jp/research/researcher/people/okada_akito.html

装丁　坂川朱音（朱猫堂）
本文デザイン　坂川朱音＋田中斐子（朱猫堂）
カバーイラスト　岡村優太
DTP・作図　小林祐司
編集　傳 智之

■お問い合わせについて

本書に関するご質問は、FAX、書面、下記のWebサイトの質問用フォームでお願いいたします。電話での直接のお問い合わせにはお答えできません。あらかじめご了承ください。
ご質問の際には以下を明記してください。

- **書籍名**
- **該当ページ**
- **返信先（メールアドレス）**

ご質問の際に記載いただいた個人情報は質問の返答以外の目的には使用いたしません。
お送りいただいたご質問には、できる限り迅速にお答えするよう努力しておりますが、お時間をいただくこともございます。
なお、ご質問は本書に記載されている内容に関するもののみとさせていただきます。

◆問い合わせ先

〒162-0846 東京都新宿区市谷左内町21-13
株式会社技術評論社　書籍編集部
「学びの呼吸」係
FAX：03-3513-6183
Web：https://gihyo.jp/book/2021/978-4-297-12014-6

学《まな》びの呼《こ》吸《きゅう》 **世界《せかい》のエリートに共通《きょうつう》する学習《がくしゅう》の型《かた》**

2021年 5月 12日　初版　第1刷発行

著　者　岡《おか》田《だ》昭《あき》人《と》
発行者　片岡巌
発行所　株式会社技術評論社
東京都新宿区市谷左内町21-13
電話　03-3513-6150　販売促進部
03-3513-6166　書籍編集部

印刷・製本　日経印刷株式会社

定価はカバーに表示してあります。

ISBN978-4-297-12014-6　C0034
Printed in Japan